Demco

DEUTSCHE ERZÄHLUNGEN

ERSTER BAND

Für Ausländer herausgegeben von

LINDE KLIER und UWE MARTIN

MAX HUEBER VERLAG MÜNCHEN

DEUTSCHE REIHE FÜR AUSLÄNDER

Herausgegeben von Dr. Dora Schulz und Dr. Heinz Griesbach
Reihe A: Lesestoffe zum Sprachunterricht
Klier/Martin, Deutsche Erzählungen

Hueber-Nr. 1024
4. Auflage 1969
© 1964 by Max Hueber Verlag, München
Einbandgestaltung: Hans Schreiber, München
Gesamtherstellung: Friedrich Pustet, Regensburg
Printed in Germany

VORWORT

Mit dieser Sammlung wollen wir unseren ausländischen Schülern den schwierigen Sprung vom präparierten »Lesestück« zur literarischen Lektüre erleichtern. Wir haben bei der Auswahl der Texte solide Grundkenntnisse in der Grammatik vorausgesetzt, dabei aber auf den meist noch geringen Wortschatz der Leser Rücksicht genommen. Da die erste literarische Lektüre oft noch Mittel zum Zweck sein muß, nämlich den Schüler zum Sprechen anzuregen, haben wir besonderen Wert darauf gelegt, daß der Inhalt der Stücke nach Möglichkeit zu erfragen, nachzuerzählen und zu diskutieren ist. Aus dem gleichen Grund wurden auch im Anhang zu jedem Stück einige Fragen formuliert, für deren Beantwortung die wichtigsten Wörter und Idiome zusammengestellt sind. Die beigefügten Übungen sollen den Lehrern Anleitung sein, die Lektüre für den Sprachunterricht auszuwerten und den Lesern Möglichkeiten bieten, den neu erworbenen Wortschatz oder schwierigere Satzkonstruktionen zu üben und selbständig anwenden zu lernen. Die Sammlung soll also in erster Linie praktischen Zwecken im Sprachunterricht dienen.

Das bedeutet, daß wir damit nicht das Ziel verfolgen, einen repräsentativen Querschnitt deutscher Erzählkunst zu bieten. Gute Anthologien solcher Art, die die Beherrschung der Sprache voraussetzen, gibt es auf dem Büchermarkt in großer Zahl. Wir haben uns aber bemüht, der praktischen Forderungen wegen nicht auf jeden literarischen Anspruch zu verzichten. Allerdings war es nicht leicht, die beiden Gesichtspunkte zu vereinen. Die Zahl der für diese Sammlung verwendbaren Erzählungen ist tatsächlich sehr viel kleiner, als das große Angebot zunächst vermuten läßt. Deshalb mußten wir uns auch entschließen, einige anspruchslosere Stücke aufzunehmen und hier und da einzelne Wörter durch einfachere zu ersetzen und kurze Passagen auszulassen. Die auf diese Weise bearbeiteten Stücke sind im Inhaltsverzeichnis durch einen Stern gekennzeichnet.

Die Texte sind nach ihrem sprachlichen Schwierigkeitsgrad und zugleich im Hinblick auf thematische Abwechslung geordnet. Wenn unsere Sammlung ihre Leser zu weiterem Eindringen in die deutsche Literatur ermutigt, hat sie ihren Sinn erfüllt.

Die Herausgeber

INHALT

*) etwas vereinfachte Texte (s. Vorwort)

Heinrich Spoerl

WARTE NUR, BALDE –

Als ich einmal warten mußte, habe ich mir ein Märchen erdacht[1]:

Es war einmal ein junger Bauer, der wollte seine Liebste treffen. Er war ein ungeduldiger Geselle[2] und viel zu früh gekommen und verstand sich schlecht aufs Warten[3]. Er sah nicht den Sonnenschein, nicht den Frühling und die Pracht[4] der Blumen. Ungeduldig warf er sich unter einen Baum und haderte[5] mit sich und der Welt.

Da stand plötzlich ein graues Männlein vor ihm und sagte: »Ich weiß, wo dich der Schuh drückt[6]. Nimm diesen Knopf und nähe ihn an dein Wams[7]. Wenn du auf etwas wartest und dir die Zeit zu langsam geht, dann brauchst du nur den Knopf nach rechts zu drehen, und du springst über die Zeit hinweg, so weit, wie du willst.« Das war so recht nach des Burschen Geschmack[8]. Er nahm den Zauberknopf und machte einen Versuch, und drehte: und schon stand die Liebste vor ihm und lachte ihn an. Das ist schön und gut, dachte er, aber mir wäre lieber, wenn schon Hochzeit wäre. Er drehte abermals[9]: und saß mit ihr beim Hochzeitsschmaus[10], und Flöten und Geigen klangen um ihn. Da sah er seiner Frau in die Augen: wenn wir doch schon allein wären! Wieder drehte er heimlich: und da war tiefe Nacht und sein Wunsch erfüllt. Und dann sprach er über seine Pläne. Wenn unser Haus erst fertig ist – und drehte von neuem an dem Knopf: da war Sommer und das Haus stand breit und leer und nahm ihn auf. Jetzt fehlen uns noch die Kinder, sagte er und konnte es wiederum nicht erwarten. Und drehte schnell den Knopf: da war er älter und hatte seine Buben[11] auf den Knien, und durchs Fenster sah er auf den neuen Weinberg. Wie schade, daß er noch nicht trägt[12]. Ein heimlicher Griff, und wieder sprang die Zeit. Immer hatte er etwas Neues im Sinn und konnte es nicht erwarten und drehte, drehte, daß das Leben an ihm vorbeisprang. Und ehe er sich's versah[13], war er ein alter Mann und lag auf dem Sterbebett. Nun hatte er nichts mehr zu drehen und blickte hinter sich und merkte, daß er schlecht gewirtschaftet hatte. Er wollte sich das Warten er-

---

[1] *sich et. erdenken* sich et. in Gedanken vorstellen – [2] *der Geselle, -n* junger Mann, der den Handwerksberuf gelernt hat; hier: junger Mann – [3] *sich schlecht auf et. (A) verstehen*, id. et. nicht gut können – [4] *die Pracht* große Schönheit – [5] *hadern* streiten (aus Unzufriedenheit, ohne rechte Ursache) – [6] *wo drückt dich der Schuh?* (id.) was für Sorgen hast du? – [7] *das Wams, "-e* (alt) kurze Jacke – [8] *das ist nach meinem Geschmack* das gefällt mir gut – [9] *abermals* noch einmal, wieder – [10] *der Schmaus* reiches, gutes Essen – [11] *der Bube, -n* (südd.) Junge, Sohn – [12] *tragen* hier: Früchte tragen – [13] *ehe er sichs versah* (id.) bevor er es richtig bemerkte

sparen[1] und nur die Erfüllung genießen, wie man Rosinen aus einem Napf-kuchen[2] nascht[3]. Nun, da sein Leben verrauscht[4] war, erkannte er, daß auch das Warten im Leben seinen Sinn hat und erst die Erfüllung würzt[5]. Was gäbe er darum, wenn er die Zeit ein wenig rückwärts schrauben könnte! Zitternd versuchte er, den Knopf ein wenig nach links zu drehen. Da tat es einen Ruck, er wachte auf und lag noch immer unter dem blühenden Baum und wartete auf seine Liebste. Aber jetzt hatte er das Warten gelernt. Alle Hast[6] und Ungeduld war von ihm gewichen; er schaute gelassen[7] in den blauen Himmel, hörte den Vöglein zu und spielte mit den Käfern im Grase und freute sich des Wartens[8].

* * *

Bertolt Brecht
WENN DIE HAIFISCHE MENSCHEN WÄREN

»Wenn die Haifische Menschen wären«, fragte Herrn K. die kleine Tochter seiner Wirtin, »wären sie dann netter zu den kleinen Fischen?« »Sicher«, sagte er. »Wenn die Haifische Menschen wären, würden sie im Meer für die kleinen Fische gewaltige Kästen bauen lassen, mit allerhand[9] Nahrung drin, sowohl Pflanzen als auch Tierzeug[10]. Sie würden sorgen, daß die Kästen immer frisches Wasser hätten, und sie würden überhaupt allerhand sanitäre[11] Maß-nahmen treffen[12]. Wenn zum Beispiel ein Fischlein sich die Flosse[13] verletzen würde, dann würde ihm sogleich ein Verband gemacht, damit es den Hai-fischen nicht wegstürbe vor der Zeit. Damit die Fischlein nicht trübsinnig würden, gäbe es ab und zu große Wasserfeste; denn lustige Fischlein schmek-ken besser als trübsinnige[14]. Es gäbe natürlich auch Schulen in den großen Kästen. In diesen Schulen würden die Fischlein lernen, wie man in den Rachen der Haifische schwimmt. Sie würden zum Beispiel Geographie brau-chen, damit sie die großen Haifische, die faul irgendwo liegen, finden könn-ten. Die Hauptsache wäre natürlich die moralische Ausbildung der Fischlein.

---

[1] *sich et. ersparen wollen* et. nicht tun wollen – [2] *der Napfkuchen* Kuchen, der in einer besonderen Form gebacken ist; *der Napf* Schüssel – [3] *naschen* heimlich essen – [4] *da sein Leben verrauscht war* (metaph.) nachdem sein Leben vergangen war – [5] *würzen* Salz, Gewürze an die Speisen geben, hier: den eigentlichen Ge-schmack, Wert geben – [6] *die Hast* große Eile – [7] *gelassen* ruhig – [8] *sich des Wartens freuen* sich über das Warten freuen (Genitiv ist lit.) – [9] *allerhand* alles mögliche, verschiedenes – [10] *das Tierzeug* verschiedene Arten von Tieren (pejorativ) – [11] *sanitär* die Gesundheit betreffend – [12] *Maßnahmen treffen* Anordnungen geben, die et. ver-hüten sollen – [13] *die Flosse, -n* Gliedmaßen von Fischen – [14] *trübsinnig* von Natur aus traurig

Sie würden unterrichtet werden, daß es das Größte und Schönste sei, wenn ein Fischlein sich freudig aufopfert[1], und daß sie alle an die Haifische glauben müßten, vor allem, wenn sie sagten, sie würden für eine schöne Zukunft sorgen. Man würde den Fischlein beibringen[2], daß diese Zukunft nur gesichert sei, wenn sie Gehorsam lernten. Vor allen niedrigen, materialistischen, egoistischen und marxistischen Neigungen müßten sich die Fischlein hüten[3] und es sofort den Haifischen melden, wenn eines von ihnen solche Neigungen[4] verriete. Wenn die Haifische Menschen wären, würden sie natürlich auch untereinander Kriege führen, um fremde Fischkästen und fremde Fischlein zu erobern. Die Kriege würden sie von ihren eigenen Fischlein führen lassen. Sie würden die Fischlein lehren, daß zwischen ihnen und den Fischlein der anderen Haifische ein riesiger Unterschied bestehe. Die Fischlein, würden sie verkünden, sind bekanntlich stumm, aber sie schweigen in ganz verschiedenen Sprachen und können einander daher unmöglich verstehen. Jedem Fischlein, das im Krieg ein paar andere Fischlein, feindliche, in anderer Sprache schweigende Fischlein tötete, würden sie einen kleinen Orden aus Seetang[5] anheften[6] und den Titel Held verleihen. Wenn die Haifische Menschen wären, gäbe es bei ihnen natürlich auch eine Kunst. Es gäbe schöne Bilder, auf denen die Zähne der Haifische in prächtigen Farben, ihre Rachen als reine Lustgärten, in denen es sich prächtig tummeln[7] läßt, dargestellt wären. Die Theater auf dem Meeresgrund würden zeigen, wie heldenmütige Fischlein begeistert in die Haifischrachen schwimmen, und die Musik wäre so schön, daß die Fischlein unter ihren Klängen, die Kapelle voran, träumerisch, und in allerangenehmste Gedanken eingelullt[8], in die Haifischrachen strömten. Auch eine Religion gäbe es da, wenn die Haifische Menschen wären. Sie würde lehren, daß die Fischlein erst im Bauch der Haifische richtig zu leben begännen. Übrigens würde es auch aufhören, wenn die Haifische Menschen wären, daß alle Fischlein, wie es jetzt ist, gleich sind. Einige von ihnen würden Ämter bekommen und über die anderen gesetzt werden. Die ein wenig größeren dürften sogar die kleineren auffressen. Das wäre für die Haifische nur angenehm, da sie dann selber öfter größere Brocken[9] zu fressen bekämen. Und die größeren, Posten habenden Fischlein würden für die Ordnung unter den Fischlein sorgen, Lehrer, Offiziere, Ingenieure im Kastenbau usw. werden. Kurz, es gäbe überhaupt erst eine Kultur im Meer, wenn die Haifische Menschen wären.«

---

[1] *sich auf'opfern* seine Kraft, sein Leben für eine gute Sache geben – [2] *jm et. bei'bringen* lehren – [3] *sich hüten vor jm (et.)* jm (et.) gegenüber vorsichtig sein – [4] *die Neigung, -en* Tendenz – [5] *der Seetang* Meerespflanze – [6] *jm et. an'heften* anstecken – [7] *sich tummeln* lustig herumspringen, herumschwimmen usw. – [8] *jn ein'-lullen* einschläfern (die Mutter lullt ihr Kind ein) – [9] *der Brocken, -* sehr großes Stück.

Johann Peter Hebel

Der geheilte Patient

Reiche Leute haben trotz ihrer gelben Vögel[1] doch auch manchmal Lasten und Krankheiten auszustehen[2], von denen der arme Mann zum Glück nichts weiß. Denn es gibt Krankheiten, die nicht in der Luft stecken, sondern in den vollen Schüsseln und Gläsern und in den weichen Sesseln und seidenen Betten. Ein reicher Amsterdamer konnte ein Lied davon singen[3].

Den ganzen Vormittag saß er im Lehnstuhl und rauchte Tabak, wenn er nicht zu faul dazu war, oder er schaute zum Fenster hinaus. Zu Mittag aber aß er doch wie ein Scheunendrescher[4], und die Nachbarn sagten manchmal: »Geht draußen der Wind, oder schnauft[5] der Nachbar so?«

Den ganzen Nachmittag aß und trank er ebenfalls, bald etwas Kaltes, bald etwas Warmes, ohne Hunger und ohne Appetit, aus lauter Langeweile, bis an den Abend, so daß man bei ihm nie recht sagen konnte, wo das Mittagessen aufhörte und wo das Abendessen anfing. Nach dem Abendessen legte er sich ins Bett und war so müde, als wenn er den ganzen Tag Steine abgeladen oder Holz gespalten hätte. Davon bekam er zuletzt einen dicken Leib, der so unbeholfen[6] war wie ein Sack Getreide. Essen und Schlafen wollten ihm nicht mehr schmecken, und er war lange Zeit, wie es manchmal geht, nicht recht gesund und nicht recht krank. Wenn man ihn aber selber hörte, so hatte er dreihundertfünfundsechzig Krankheiten, nämlich jeden Tag eine andere. Alle Ärzte, die in Amsterdam waren, mußten ihm raten. Er verschluckte ganze Eimer voll Mixturen und ganze Schaufeln voll Pulver und Pillen, und man nannte ihn zuletzt nur noch die zweibeinige Apotheke. Aber alles Doktern[7] half ihm nichts, denn er befolgte nicht, was ihm die Ärzte befahlen, sondern sagte: »Zum Teufel, wofür bin ich ein reicher Mann, wenn ich leben soll wie ein Hund!«

Endlich hörte er von einem Arzt, der hundert Stunden weit entfernt wohnte; der sei so geschickt, daß die Kranken gesund würden, wenn er sie nur recht ansehe, und der Tod gehe ihm aus dem Wege, wenn er sich sehen lasse. Zu diesem Arzt faßte der Mann Vertrauen und beschrieb ihm seinen Zustand. Der Arzt merkte bald, was ihm fehlte, nämlich nicht Arznei, son-

---

[1] *gelbe Vögel* (metaph.) Goldstücke – [2] *et. auszustehen haben* et. erleiden müssen – [3] *er kann ein Lied davon singen* (id.) er hat viele (schlechte) Erfahrungen damit gemacht und kann viel davon erzählen – [4] *wie ein Scheunendrescher essen* sehr viel essen – [5] *schnaufen* laut durch die Nase atmen – [6] *unbeholfen* ungeschickt, plump – [7] *doktern* (fam.) an einer Krankheit herumkurieren; einmal die eine, einmal die andere Medizin ausprobieren

dern Mäßigkeit und Bewegung, und sagte: »Wart', ich will dich bald kuriert haben.«

Deswegen schrieb er ihm einen Brief folgenden Inhalts: »Guter Freund, Ihr seid in einem schlimmen Zustand. Doch wird Euch zu helfen sein, wenn Ihr folgen wollt. Ihr habt ein böses Tier im Bauch, einen Lindwurm mit sieben Mäulern[1]. Mit dem Lindwurm muß ich selber reden, und Ihr müßt zu mir kommen. Aber erstens dürft Ihr nicht fahren oder auf einem Pferd reiten, sondern müßt auf Schusters Rappen[2] kommen, sonst schüttelt Ihr den Lindwurm und er beißt Euch die Eingeweide durch, sieben Därme auf einmal. Zweitens dürft Ihr nicht mehr essen als zweimal am Tag einen Teller Gemüse, mittags eine Bratwurst dazu und abends ein Ei und am Morgen eine Fleischsuppe mit Schnittlauch darauf. Wenn Ihr mehr eßt, so wird nur der Lindwurm größer, so daß er Euch die Leber zerdrückt, und der Schneider hat Euch dann nicht mehr viel anzumessen, sondern der Schreiner[3]. Dies ist mein Rat, und wenn Ihr mir nicht folgt, so hört Ihr im nächsten Frühjahr den Kuckuck nicht mehr rufen. Tut, was Ihr wollt!«

Als der Patient so mit sich reden hörte, ließ er sich sogleich am anderen Morgen die Stiefel putzen und machte sich auf den Weg, wie ihm der Doktor befohlen hatte.

Am ersten Tag ging es so langsam, daß eine Schnecke sein Vorreiter hätte sein können. Und wer ihn grüßte, dem dankte er nicht. Und wo ein Würmchen auf der Erde kroch, da zertrat er es. Aber schon am dritten und vierten Morgen kam es ihm vor, als wenn die Vögel schon lange nicht mehr so lieblich gesungen hätten wie heute. Und der Tau schien ihm so frisch, und die Kornrosen[4] im Feld so rot. Und alle Leute, die ihm begegneten, sahen so freundlich aus, – und er auch. Und jeden Morgen, wenn er die Herberge[5] verließ, war's schöner, und er ging leichter und munterer dahin.

Und als er am achtzehnten Tag in der Stadt des Arztes ankam und am anderen Morgen aufstand, war ihm so wohl, daß er sagte: »Ich hätte zu keiner unpassenderen Zeit gesund werden können als jetzt, wo ich zum Doktor soll. Wenn's mir doch wenigstens in den Ohren brauste oder ein wenig im Magen drückte!« Als er zum Doktor kam, nahm ihn der Doktor bei der Hand und sagte zu ihm: »Jetzt erzählt mir doch noch einmal von Grund aus[6], was

---

[1] *der Lindwurm, "-er* ein Ungeheuer aus der germanischen Sagenwelt – [2] *auf Schusters Rappen reiten* (id.) zu Fuß gehen: die Rappen (= schwarze Pferde) des armen Schuhmachers sind die Schuhe – [3] *nicht der Schneider, sondern der Schreiner hat Euch etwas anzumessen* Ihr braucht statt eines neuen Anzuges einen Sarg – [4] *die Kornrose, -n* Mohnblume – [5] *die Herberge, -n* einfaches Gasthaus (heute noch in *Jugendherberge*) – [6] *von Grund aus* genau und von Anfang an

Euch fehlt!« Da sagte er: »Herr Doktor, mir fehlt zum Glück nichts, und wenn Ihr so gesund seid wie ich, so soll's mich freuen.«

Der Doktor sagte: »Das hat Euch ein guter Geist geraten, daß Ihr meinem Rat gefolgt seid. Der Lindwurm ist jetzt tot. Aber Ihr habt noch Eier im Leib. Deswegen müßt Ihr wieder zu Fuß heimgehen und daheim fleißig Holz sägen und dürft nicht mehr essen, als der Hunger Euch befiehlt, damit die Eier nicht ausschlüpfen[1]. Dann könnt Ihr ein alter Mann werden.« Und er lächelte dazu.

Der reiche Fremdling aber sagte: »Herr Doktor, Ihr seid ein feiner Kauz[2], und ich versteh' Euch wohl.« Und er ist nachher dem Rat gefolgt und hat siebenundachtzig Jahre, vier Monate, zehn Tage gelebt, wie ein Fisch im Wasser so gesund, und hat zu Neujahr dem Arzt jedesmal zwanzig Goldstücke zum Gruß geschickt.

* * *

Heinrich Böll

DIE UNGEZÄHLTE GELIEBTE

Sie haben mir meine Beine geflickt und haben mir einen Posten gegeben, wo ich sitzen kann: ich zähle die Leute, die über die neue Brücke gehen. Es macht ihnen ja Spaß, sich ihre Tüchtigkeit mit Zahlen zu belegen[3], sie berauschen sich an diesem sinnlosen Nichts aus ein paar Ziffern, und den ganzen Tag, den ganzen Tag, geht mein stummer Mund wie ein Uhrwerk, indem ich Nummer auf Nummer häufe, um ihnen abends den Triumph einer Zahl zu schenken. Ihre Gesichter strahlten, wenn ich ihnen das Ergebnis meiner Schicht[4] mitteile, je höher die Zahl, um so mehr strahlen sie, und sie haben Grund, sich befriedigt ins Bett zu legen, denn viele Tausende gehen täglich über ihre neue Brücke ...

Aber ihre Statistik stimmt nicht. Es tut mir leid, aber sie stimmt nicht. Ich bin ein unzuverlässiger Mensch, obwohl ich verstehe, den Eindruck von Biederkeit[5] zu erwecken.

Insgeheim macht es mir Freude, manchmal einen zu unterschlagen[6] und dann wieder, wenn ich Mitleid empfinde, ihnen ein paar zu schenken. Ihr

---

[1] *damit die Eier nicht aus'schlüpfen* damit aus den Eiern nicht neue Lindwürmer herauskommen – [2] *der Kauz,* "-e Nachtvogel; hier metaph.: sonderbarer Mensch – [3] *belegen* mit Dokumenten beweisen – [4] *die Schicht, -en* bestimmte Arbeitszeit – [5] *die Biederkeit* Treue, Ehrlichkeit – [6] *et. unterschlagen* in unehrlicher Absicht nicht angeben

Glück liegt in meiner Hand. Wenn ich wütend bin, wenn ich nichts zu rauchen habe, gebe ich nur den Durchschnitt an, manchmal unter dem Durchschnitt, und wenn mein Herz aufschlägt, wenn ich froh bin, lasse ich meine Großzügigkeit in einer fünfstelligen Zahl[1] verströmen. Sie sind ja so glücklich! Sie reißen mir jedesmal das Ergebnis förmlich[2] aus der Hand, und ihre Augen leuchten auf, und sie klopfen mir auf die Schulter. Sie ahnen ja nichts! Und dann fangen sie an zu multiplizieren, zu dividieren, zu prozentualisieren[3], ich weiß nicht was. Sie rechnen aus, wieviel heute jede Minute über die Brücke gehen und wieviel in zehn Jahren über die Brücke gegangen sein werden. Sie lieben das zweite Futur, das zweite Futur ist ihre Spezialität – und doch, es tut mir leid, daß alles nicht stimmt . . .

Wenn meine kleine Geliebte über die Brücke kommt – und sie kommt zweimal am Tage –, dann bleibt einfach mein Herz stehen. Das unermüdliche Ticken meines Herzens setzt einfach aus[4], bis sie in die Allee eingebogen und verschwunden ist. Und alle, die in dieser Zeit passieren, verschweige ich ihnen. Diese zwei Minuten gehören mir, mir ganz allein, und ich lasse sie mir nicht nehmen. Und auch wenn sie abends wieder zurückkommt aus ihrer Eisdiele[5] – ich weiß inzwischen, daß sie in einer Eisdiele arbeitet –, wenn sie auf der anderen Seite des Gehsteiges meinen stummen Mund passiert, der zählen, zählen muß, dann setzt mein Herz wieder aus, und ich fange erst wieder an zu zählen, wenn sie nicht mehr zu sehen ist. Und alle, die das Glück haben, in diesen Minuten vor meinen blinden Augen zu defilieren[6], gehen nicht in die Ewigkeit der Statistik ein: Schattenmänner und Schattenfrauen, nichtige Wesen, die im zweiten Futur der Statistik nicht mitmarschieren werden . . .

Es ist klar, daß ich sie liebe. Aber sie weiß nichts davon und ich möchte auch nicht, daß sie es erfährt. Sie soll nicht ahnen, auf welch ungeheure Weise sie alle Berechnungen über den Haufen wirft[7], und ahnungslos und unschuldig soll sie sein und mit ihren langen braunen Haaren und den zarten Füßen in ihre Eisdiele marschieren, und sie soll viel Trinkgelder bekommen. Ich liebe sie. Es ist ganz klar, daß ich sie liebe.

Neulich haben sie mich kontrolliert. Der Kumpel[8], der auf der anderen Seite sitzt und die Autos zählen muß, hat mich früh genug gewarnt, und ich

---

[1] *die fünfstellige Zahl* Zahl aus fünf Ziffern, z. B. 10 000 – [2] *förmlich* hier: geradezu – [3] *prozentualisieren* die Prozente einer Summe errechnen – [4] *aus'setzen* für einige Zeit nicht arbeiten, nicht funktionieren – [5] *die Eisdiele*, -n Lokal, wo nur Speiseeis serviert wird – [6] *defilieren* (milit.) bei einer Parade vorbeimarschieren – [7] *et. über den Haufen werfen* in Verwirrung bringen, durcheinanderbringen – [8] *der Kumpel*, - Arbeitskamerad

habe höllisch[1] aufgepaßt. Ich habe gezählt wie verrückt[2], ein Kilometerzähler kann nicht besser zählen. Der Oberstatistiker selbst hat sich drüben auf die andere Seite gestellt und hat später das Ergebnis einer Stunde mit meinem Stundenergebnis verglichen. Ich hatte nur einen weniger als er. Meine kleine Geliebte war vorbeigekommen, und niemals im Leben hätte ich dieses hübsche Kind ins zweite Futur transportieren lassen, diese meine kleine Geliebte soll nicht multipliziert und dividiert und in ein prozentuales Nichts verwandelt werden. Mein Herz hat mir geblutet, daß ich zählen mußte, ohne ihr nachsehen zu können, und dem Kumpel drüben, der die Autos zählen muß, bin ich sehr dankbar gewesen. Es ging ja glatt um meine Existenz[3].

Der Oberstatistiker hat mir auf die Schulter geklopft und hat gesagt, daß ich gut bin, zuverlässig und treu. »Eins in der Stunde verzählt[4]«, hat er gesagt, »macht nicht viel. Wir zählen sowieso einen gewissen prozentualen Verschleiß[5] hinzu. Ich werde beantragen, daß Sie zu den Pferdewagen versetzt werden.«

Pferdewagen ist natürlich die Masche[6]. Pferdewagen ist ein Lenz[7] wie nie zuvor. Pferdewagen gibt es höchstens fünfundzwanzig am Tage, und alle halbe Stunde einmal in seinem Gehirn die nächste Nummer fallen zu lassen, das ist ein Lenz!

Pferdewagen wäre herrlich. Zwischen vier und acht dürfen überhaupt keine Pferdewagen über die Brücke, und ich könnte spazierengehen oder in die Eisdiele, könnte sie mir lange anschauen oder sie vielleicht ein Stück nach Hause bringen, meine kleine ungezählte Geliebte . . .

---

[1] *höllisch* (Ugs.) sehr – [2] *wie verrückt* (Ugs.) starke Steigerung: sehr stark, sehr intensiv – [3] *die Existenz, -en* hier: Stellung, Verdienst – [4] *sich (A) verzählen* falsch zählen – [5] *der Verschleiß* Abnutzung durch Gebrauch, z. B. eines Motors – [6] *die Masche, -n* hier: Glücksfall (Ugs.) – [7] *der Lenz, -e* (heute nur poet.) Frühling, hier Ugs.: Freude, großartige Sache

* * *

Wolfgang Borchert
Die drei dunklen Könige

Er tappte[1] durch die dunkle Vorstadt. Die Häuser standen abgebrochen[2] gegen den Himmel. Der Mond fehlte, und das Pflaster war erschrocken über den späten Schritt. Dann fand er eine alte Planke[3]. Da trat er mit dem Fuß dagegen, bis eine Latte[4] morsch[5] aufseufzte und losbrach. Das Holz roch mürbe[6] und süß. Durch die dunkle Vorstadt tappte er zurück. Sterne waren nicht da.

Als er die Tür aufmachte (sie weinte dabei, die Tür), sahen ihm die blaßblauen Augen seiner Frau entgegen. Sie kamen aus einem müden Gesicht. Ihr Atem hing weiß im Zimmer, so kalt war es. Er beugte sein knochiges Knie und brach das Holz. Das Holz seufzte. Dann roch es mürbe und süß ringsum. Er hielt sich ein Stück davon unter die Nase. Riecht beinahe wie Kuchen, lachte er leise. Nicht, sagten die Augen der Frau, nicht lachen. Er schläft.

Der Mann legte das süße mürbe Holz in den kleinen Blechofen. Da glomm es auf[7] und warf eine Handvoll warmes Licht durch das Zimmer. Die fiel hell auf ein winziges rundes Gesicht und blieb einen Augenblick. Das Gesicht war erst eine Stunde alt, aber es hatte schon alles, was dazugehört: Ohren, Nase, Mund und Augen. Die Augen mußten groß sein, das konnte man sehen, obgleich sie zu waren[8]. Aber der Mund war offen, und es pustete[9] leise daraus. Nase und Ohren waren rot. Er lebt, dachte die Mutter. Und das kleine Gesicht schlief.

Da ist noch Essen, sagte der Mann. Ja, antwortete die Frau, das ist gut. Es ist kalt. Der Mann nahm noch von dem süßen, weichen Holz. Nun hat sie ihr Kind gekriegt[10] und muß frieren, dachte er. Aber er hatte keinen, dem er dafür die Fäuste ins Gesicht schlagen konnte. Als er die Ofentür aufmachte, fiel wieder eine Handvoll Licht über das schlafende Gesicht. Die Frau sagte leise: »Guck[11], wie ein Heiligenschein[12], siehst du? Heiligenschein! dachte er, und er hatte keinen, dem er die Fäuste ins Gesicht schlagen konnte.

Dann waren welche[13] an der Tür. Wir sahen das Licht, sagten sie, vom Fenster. Wir wollen uns zehn Minuten hinsetzen. Aber wir haben ein Kind, sagte der Mann zu ihnen. Da sagten sie nichts weiter, aber sie kamen doch

---

[1] *tappen* wie ein Blinder gehen – [2] *abgebrochen* hier: zerstört – [3] *die Planke, -n* Stück aus einer Holzwand – [4] *die Latte, -n* Brett – [5] *morsch* leicht zu zerbrechen (wie altes Holz) – [6] *mürbe* weich, so daß es leicht auseinanderfällt – [7] *aufglimmen (glomm auf, ist aufgeglommen)* schwach zu leuchten beginnen – [8] *zu'sein* (fam.) geschlossen sein – [9] *pusten* blasen, atmen – [10] *kriegen* (fam.) bekommen – [11] *gucken* sehen, anschauen – [12] *der Heiligenschein* auf Bildern gemalter Lichtkreis um die Gesichter von Heiligen – [13] *welche* einige Leute

ins Zimmer, stießen Nebel aus den Nasen und hoben die Füße hoch. Dann fiel Licht auf sie.

Drei waren es. In drei alten Uniformen. Einer hatte einen Pappkarton, einer einen Sack. Und der dritte hatte keine Hände. Erfroren, sagte er, und hielt die Stümpfe[1] hoch. Dann drehte er dem Mann die Manteltasche hin. Tabak war darin und dünnes Papier. Sie drehten Zigaretten. Aber die Frau sagte: Nicht, das Kind.

Da gingen die vier vor die Tür, und ihre Zigaretten waren vier Punkte in der Nacht. Der eine hatte dicke, umwickelte[2] Füße. Er nahm ein Stück Holz aus dem Sack. Ein Esel, sagte er, ich habe sieben Monate daran geschnitzt. Für das Kind. Das sagte er und gab es dem Mann. Was ist mit den Füßen? fragte der Mann. Wasser, sagte der Eselschnitzer, vom Hunger. Und der andere, der dritte? fragte der Mann und befühlte im Dunkeln den Esel. Der dritte zitterte in seiner Uniform: Oh, nichts, wisperte[3] er, das sind nur die Nerven. Man hat eben zuviel Angst gehabt. Dann traten sie die Zigaretten aus und gingen wieder hinein.

Sie hoben die Füße hoch und sahen auf das kleine schlafende Gesicht. Der Zitternde nahm aus seinem Pappkarton zwei gelbe Bonbons und sagte dazu: Für die Frau sind die.

Die Frau machte die blassen blauen Augen weit auf, als sie die drei Dunklen über das Kind gebeugt sah. Sie fürchtete sich. Aber da stemmte das Kind seine Beine gegen ihre Brust und schrie so kräftig, daß die drei Dunklen die Füße aufhoben und zur Tür schlichen. Hier nickten sie nochmal, dann stiegen sie in die Nacht hinein.

Der Mann sah ihnen nach. Sonderbare Heilige, sagte er zu seiner Frau. Dann machte er die Tür zu. Schöne Heilige[4] sind das, brummte er und sah nach dem Essen. Aber er hatte kein Gesicht für seine Fäuste.

Aber das Kind hat geschrien, flüsterte die Frau, ganz stark hat es geschrien. Da sind sie gegangen. Guck mal, wie lebendig es ist, sagte sie stolz. Das Gesicht machte den Mund auf und schrie. Weint er? fragte der Mann.

Nein, ich glaube, er lacht, antwortete die Frau.

Beinahe wie Kuchen, sagte der Mann und roch an dem Holz, wie Kuchen. Ganz süß.

Heute ist ja auch Weihnachten, sagte die Frau.

Ja, Weihnachten, brummte er, und vom Ofen her fiel eine Handvoll Licht hell auf das kleine schlafende Gesicht.

---

[1] *der Stumpf*, "*-e* hier: Arm, dem die Hand fehlt – [2] *umwickeln* mit et. einbinden – [3] *wispern* flüstern, ganz leise reden – [4] *schöne Heilige* hier negativ: Heilige, wie man sie sich nicht vorstellt

Walter Toman
BUSSE'S WELTTHEATER

Ich war schon lange nicht zufrieden gewesen mit meinem Leben. Ich hatte
früh einen Beruf ergreifen müssen, da meine Mutter bei meiner Geburt starb
und mein Vater tödlich verunglückte, kurz bevor ich die Schule verließ und in
eine Lehre gehen wollte. Ich ging darum nicht in eine Lehre, sondern trat
gleich in eine regelrechte[1] Arbeit ein. Damit konnte ich mich selbst durch-
bringen[2], in einer Lehre aber hätte ich es nicht gekonnt.

Ich wurde jedenfalls Schokoladenverpacker, eine Arbeit, die man in einer
Minute begreift und in einer Woche so gut beherrscht, daß man nichts mehr
dazulernen kann. Genau genommen ist es gar keine Arbeit. Ich muß nur zusehen bei der Arbeit, die die Maschine verrichtet[3], ich muß aufpassen, daß
sie alles ordnungsgemäß macht, und ich muß sie mit Verpackungspapier ver-
sorgen. Das letztere ist ganz leicht, und was das andere betrifft, ihr richtiges
Funktionieren, brauche ich nur zu läuten, wenn irgend etwas nicht klappt[4].
Dann kommt ein Maschinenmeister, der den Defekt in kurzer Zeit behebt[5].

Es ist eine leichte Arbeit, aber ich habe deswegen auch seit meinem vierzehnten Lebensjahr den gleichen Lohn. Bei mir gibt es keine Akkordarbeit[6],
denn die Arbeit macht die Maschine, und besser aufpassen, als ich es von Anfang an tat, kann ich auch nicht, denn ich brauche ja nur zu bemerken, wenn
etwas nicht mehr richtig funktioniert, und das sieht man an den verpackten
Schokoladen, die herauskommen. Zuerst habe ich versucht, den Mechanismus
der Maschine zu studieren, um Fehler vielleicht zu bemerken, noch ehe eine
Verpackung mißglückt ist. Aber das wollte man nicht, denn dafür hatte man
ja den Maschinenmeister, und als ich ihn trotzdem einmal herbeiläutete, um
ihm zu zeigen, daß eine Schraube an einem Hebel meiner Maschine locker
war, blickte er auf die verpackten Schokoladen, die fortlaufend und noch
ordnungsgemäß herauskamen – die Schraube war ja nur locker, sie war noch
nicht herausgefallen – und beschimpfte mich dann. Er sagte, er könne nicht
wegen jeder lockeren Schraube kommen, es gebe Schrauben, die schon zehn
Jahre locker seien und noch immer hielten, und beschwerte[7] sich schließlich
bei der Betriebsführung, die mich streng verwarnte[8]. Eine zweite Verwar-
nung, erklärten sie mir, würde gleichbedeutend sein mit meiner Entlassung.

---

[1] *regelrecht* richtig; nach der Regel, ordentlich – [2] *sich durch'bringen* (A) das
Geld verdienen, das man zum Leben braucht – [3] *verrichten* tun – [4] *es klappt*
(fam.) es funktioniert, verläuft nach Programm – [5] *einen Defekt beheben* einen
Schaden in Ordnung bringen, reparieren – [6] *die Akkordarbeit* Arbeit nach Stück-
lohn – [7] *sich beschweren bei jm.* eine Klage vorbringen – [8] *jn verwarnen* ihm eine
Strafe androhen, wenn er nicht gehorcht

Man will also nicht, daß ich mehr tue als die Klingel drücken, sobald eine mangelhaft verpackte Schokolade im Auswurf[1] erscheint, und das einzige, was ich wirklich verbessern konnte, war meine Reaktionszeit[2]. Die habe ich von einer Sekunde auf unter eine halbe bringen können, und das heißt, daß nicht zwei Schokoladen schlecht verpackt im Auswurf liegen, wenn der Maschinenmeister kommt, sondern nur eine. Die Klingel, mit der ich den Maschinenmeister rufe, ist übrigens gekoppelt[3] mit dem Ausschalten der Maschine. Früher hatten wir einen eigenen Hebel dafür, und obwohl das genau so gut funktionierte, denn wir betätigten[4] zuerst den Abstellhebel und dann, nur eine Sekunde später, läuteten wir nach dem Maschinenmeister, wurde das doch abgeschafft. Der Maschinenmeister braucht bis zu einer Minute, um an den Platz zu kommen, zu dem er gerufen wird, und diese eine Sekunde Verzögerung[5] fiel dabei unserer Meinung nach wirklich nicht ins Gewicht[6]. Trotzdem koppelten sie eines Tages bei allen unseren Maschinen das Rufsignal mit dem Abstellhebel, und wir dachten uns: Uns soll es recht sein.

Ich bin jedenfalls mit meiner Reaktionszeit auf eine halbe Sekunde gesunken, es liegt nur eine schlecht verpackte Schokolade im Auswurf, ich erspare dem Betrieb also eine zweite oder dritte Schokolade, denn die schlecht verpackten gehören uns, aber auch damit konnte ich keine Lohnerhöhung bekommen. Im Gegenteil, ich gewann aus den Äußerungen[7] der Betriebsführung zu dieser Sache den Eindruck, daß sie gar nicht wollten, daß wir unsere Reaktionszeiten verkürzten. Wir sollten, wenn die Maschine eine Störung hatte, ruhig zwei oder drei Schokoladen bekommen, dem Maschinenmeister gehören nämlich alle schlecht verpackten Schokoladen, die noch in der Maschine stecken, das sind manchmal sieben oder acht, und die Betriebsführung wollte wohl verhindern[8], daß wir uns irgendeinen Zwang antun und in der Folge davon neidisch werden auf den Maschinenmeister. Es waren betriebspsychologische Erwägungen[9], die gegen eine Verkürzung der Reaktionszeiten sprachen, und obwohl es sicher nicht verboten ist, seine Reaktionszeiten zu verkürzen und mit einer einzigen Schokolade vorliebzunehmen[10], merke ich doch, daß sie mich wegen meiner halben Sekunde nicht gut leiden können.

---

[1] *der Auswurf* hier: Vorrichtung an einer Maschine, die die produzierte Ware hinauswirft – [2] *die Reaktionszeit, -en* Zeitspanne zwischen Handlung und Gegenhandlung – [3] *koppeln* durch einen Mechanismus verbinden – [4] *betätigen (A)* in Bewegung setzen – [5] *die Verzögerung, -en* das Langsamerwerden – [6] *ins Gewicht fallen* (id.) von Bedeutung, wichtig sein – [7] *die Äußerung, -en* Bemerkung – [8] *et. verhindern* machen, daß et. nicht geschieht – [9] *die Erwägung, -en* Überlegung – [10] *vorlieb'nehmen mit et.* (ich nehme (nahm) vorlieb, habe vorliebgenommen) sich zufriedengeben mit etwas weniger Gutem

Ich habe also seit meinem vierzehnten Lebensjahr den gleichen Lohn, die Aussicht, daß ich vor meinem Lebensende noch eine Lohnerhöhung bekomme, ist gering, und es gibt keine Möglichkeit, irgend etwas in dieser Hinsicht zu tun, und ich werde darum nie heiraten können.

Nach Arbeitsschluß ging ich immer viel spazieren, sah mir Auslagen an, trank einmal in der Woche ein Glas Bier oder sah mir einen billigen Film an. Setzte ich einmal mit dem Bier oder dem Kino aus, dann konnte ich in der folgenden Woche ein Mädchen mit einladen, aber das war auch alles. Ein Mädchen, mit dem man eine ernsthafte Beziehung anknüpfen[1] will, hätte man mindestens zu einem zweiten Glas Bier einladen müssen, oder zu einem Glas Bier nach dem Kino, und dazu reichte mein Wochenlohn nicht mehr. Darum waren sie auch die übernächste Woche, wenn ich wieder Geld für zwei Personen zur Verfügung hatte, meist nicht mehr für ein Bier oder ein Kino mit mir zu haben[2], auch dann nicht, wenn ich ihnen vorschlug, ich würde ihnen das Kino bezahlen und selber draußen warten und nachher ihnen auch noch ein Bier kaufen und selber keines trinken, oder höchstens einen Schluck von ihrem Glas. Sie alle wollten beim zweitenmal nichts mehr von mir wissen, und nicht so sehr meine Arbeit und der Lohnstop, der auf mir liegt, war der Grund für meine Unzufriedenheit, sondern die Sache mit den Mädchen.

Vorige Woche kam ich nun auf einem meiner Spaziergänge, die Gott sei Dank gratis[3] sind, an einem Büro vorüber, das die Aufschrift trug: Busse's Welttheater. Ich dachte zuerst, das sei ein Kartenbüro, aber als ich das Plakat las, das in der Auslage des Büros an die Glasscheibe geklebt war, öffnete sich in meiner Phantasie eine Welt von Möglichkeiten. Da stand, daß jeder, der sich bewarb[4], aufgenommen würde, daß keine speziellen Vorkenntnisse erforderlich seien, außer denen, die man eben mitbringe, daß jeder seinem Talent entsprechend eingesetzt würde, aber es sei für jede Art und jeden Grad von Talent eine Verwendung da, und das Büro sei Tag und Nacht offen. Man möge doch bitte eintreten.

Ich hatte nie gedacht, daß es für mich noch einen anderen Beruf geben könnte. Meine Kenntnisse waren viel zu speziell und vor allem viel zu gering; ob ich irgendwelche Talente hatte, konnte ich nie feststellen, und das Büro war Tag und Nacht offen, also auch jetzt. Was blieb mir anderes übrig[5], als einzutreten und mich zu erkundigen?

---

[1] *eine Beziehung an'knüpfen mit jm.* (id.) mit jm in persönliche oder geschäftliche Verbindung treten – [2] *für eine Sache zu haben sein* (id.) einverstanden sein, begeistert sein von einem Plan – [3] *gratis* umsonst – [4] *sich bewerben (bewarb, beworben) um* hier: nach einem Arbeitsplatz fragen – [5] *es bleibt mir nichts übrig, als* ... (es folgt immer Infinitiv + zu) ich habe keine andere Möglichkeit

Ich fand ein Zimmer vor, das keine andere Einrichtung hatte als einen kleinen alten Tisch und einen Sessel. An diesem Tisch saß ein dunkelhaariger hagerer[1] Mann, der gerade[2] in dem riesigen Buch, das vor ihm lag, Zahlenkolonnen addierte. Er blickte zunächst nicht auf, und ich bereute[3] schon fast, überhaupt eingetreten zu sein, obwohl ich ja nichts weiter wollte als eine unverbindliche[4] Auskunft. Aber das Büro von Busse's Welttheater war denn doch etwas dürftig[5] eingerichtet; man konnte das von außen nicht sehen, weil sowohl die Türe als auch die Hinterwand der Auslage aus Milchglas waren. Schließlich räusperte[6] ich mich, und nachdem ich mich kurz darauf noch ein zweites Mal geräuspert hatte, hob er den Kopf und fragte mich, was ich wollte.

Ich sagte, ich wollte mich gerne bezüglich[7] der Aufnahme in Busse's Welttheater erkundigen.

»Wie heißen Sie?« fragte er mich statt jeder Antwort oder Information.

»Heinrich Winter«, erwiderte ich.

»Wo wohnen Sie?«

»Trübgasse 13, Tür 91.«

»Was sind Sie von Beruf?«

»Schokoladenverpacker.«

»Wo?«

»Beim Konzern Kaukaubohne.«

Alles das schrieb der Mann Wort für Wort in das Buch, das er jetzt an einer anderen Stelle aufgeschlagen hatte. »Entschuldigen Sie«, sagte ich ihm, während er schrieb, »aber ich wollte mich nur erkundigen. Ich weiß noch gar nicht, ob ich aufgenommen werden will.«

»Das macht nichts«, entgegnete der Mann. »Ich muß das auf jeden Fall festhalten. Welche besonderen Talente haben Sie?«

»Das weiß ich nicht. Wenn ich das wüßte, wäre ich wahrscheinlich gar nicht hier.«

»Wieso?« fuhr der Mann auf. »Meinen Sie, hierher kommen nur Leute ohne Talent?«

»Das habe ich nicht gesagt, aber ich persönlich . . .«

»Was paßt Ihnen an Ihrem Leben nicht?«

»Daß ich keine Lohnerhöhung bekomme, und mein Lohn ist so gering, daß ich nicht einmal heiraten kann damit.«

»Sie sind aufgenommen«, sagte der Mann, stand auf, klopfte mir auf die Schulter und schüttelte mir die Hand.

»Bin ich wirklich aufgenommen?« sprudelte ich los. »Was für eine Verwendung[1] werden Sie für mich haben? Wo soll ich hingehen? Wieviel werde ich verdienen? Wo kann ich meinen Lohn abholen?«

»Beruhigen Sie sich, mein Lieber«, sagte der Mann und lächelte mit einem Mundwinkel. »Bei uns kommt alles schön der Reihe nach, immer eines hinter dem anderen. Aber zuerst zahlen Sie mir die Aufnahmegebühr.«

»Aufnahmegebühr? Wie hoch ist sie?«

»Fünf Schilling, mein Lieber. Aber wenn Sie das nicht zahlen können, genügt auch ein Schilling.«

Ich hatte mir diese Woche noch kein Bier gekauft und war auch nicht ins Kino gegangen, und so besaß ich genau einen Schilling, holte ihn aus meiner Tasche hervor und zahlte. Er warf das Geldstück in die Lade, die beim Öffnen von Tausenden von Münzen klirrte, buchte[2] den Betrag in seinem Buch und ließ mich unterschreiben. Dann sagte er: »Sie werden vorläufig in der Trübgasse 13, Tür 91, wohnen und beim Konzern Kaukaubohne als Schokoladenverpacker arbeiten. Sie treten morgen, genau so wie gestern und heute, Ihre Arbeit an, an der gleichen Maschine, bekommen Ihren Lohn vom Lohnbüro des Betriebes am Ende der Woche ausbezahlt und heißen Heinrich Winter. Also, viel Glück!«

Er schüttelte mir die Hand und schob mich dabei zur Tür hinaus. Ich dankte ihm und machte mich auf den Weg nach Hause. Aber schon nach ein paar Schritten kam mir die ganze Sache nicht geheuer vor[3], ich kehrte um, trat noch einmal bei ihm ein und fand ihn wie vorhin beim Addieren der Zahlenkolonnen in seinem Buch. Diesmal aber blickte er gleich auf und rief: »Gut, daß Sie zurückkommen. Ich habe vergessen, Ihnen die Nummer zu sagen, unter der Sie hier geführt sind. Es ist eine besonders niedrige Nummer, nämlich 1001, eine Nummer, die durch 13 teilbar ist. Probieren Sie das zu Hause, sofern[4] sie noch dividieren können!«

»Entschuldigen Sie«, sagte ich, »aber Sie haben auch vergessen, mir zu sagen, welche Rolle ich spielen werde und was ich überhaupt weiter tun soll.«

»Aber das habe ich Ihnen doch alles schon gesagt. Sie spielen die Rolle des Heinrich Winter. Sie gehen nach Hause, morgen an die Arbeit, und alles bleibt vorläufig[5] so, wie es war.«

---

[1] *Verwendung haben für jn oder et.* jn (et.) zu et. brauchen – [2] *buchen (A)* auf ein Konto schreiben – [3] *mir kommt die Sache nicht geheuer vor* (id.) die Sache erscheint mir merkwürdig, nicht in Ordnung – [4] *sofern* falls, wenn – [5] *vorläufig* für die nächste Zeit

»Ich habe gedacht, ich werde Theater spielen.«

»Spielen Sie auch, mein Lieber, spielen Sie auch. Sie haben ja einen Schilling bezahlt und unterschrieben.«

»Da hat sich aber für mich überhaupt nichts geändert. Dafür habe ich doch nicht meinen Schilling bezahlt.«

»Doch, Sie haben ihn bezahlt. Und vergessen Sie nicht: Es ist nicht Busse's Theater, dem Sie jetzt angehören, nicht irgendein Theater, sondern es ist Busse's Welttheater. Die Betonung liegt auf Welt.«

»Das war ein Reinfall[1]«, murmelte ich und ging hinaus.

Es ist nun eine Woche her, seitdem ich aufgenommen worden bin in Busse's Welttheater, und obwohl ich mich anfangs sehr geärgert hatte, kommt mir jetzt manchmal der Gedanke, daß das Ganze doch kein Reinfall war. Ich habe wieder einen Schilling in der Tasche; wenn ich kein Bier trinke und nicht ins Kino gehe, habe ich vom nächsten Samstag an zwei, ich kann ein neues Mädchen einladen auf ein Glas Bier oder ins Kino, kann es bei einem der früheren Mädchen wieder mit einem Doppelvorschlag versuchen, nämlich damit, daß ich sie ins Kino einlade und draußen warte, und nachher auf ein Glas Bier, von dem ich selber unter Umständen[2] mittrinke, und ich erinnere mich, daß der Mann von Busse's Welttheater sagte, alles bleibt vorläufig so, wie es war. Ich betone, vorläufig.

* * *

Johann Peter Hebel

UNVERHOFFTES WIEDERSEHEN

In Falun in Schweden küßte vor langer Zeit ein junger Bergmann seine junge, hübsche Braut und sagte zu ihr: »Nur noch ein paar kurze Wochen, dann segnet uns der Priester, und wir sind Mann und Frau und bauen unser eigenes Nest.« – »Und Friede und Liebe soll darin wohnen«, sagte die schöne Braut mit holdem[3] Lächeln, »denn du bist für mich alles, und ohne dich möchte ich lieber im Grab sein als an einem anderen Ort.«

---

[1] *der Reinfall* (fam.) Betrug, Mißerfolg, Mißgeschick, Enttäuschung (*ich bin darauf hereingefallen* ich habe den Trick nicht durchschaut und man hat mich übervorteilt) – [2] *unter Umständen (u. U.)* nach Möglichkeit, vielleicht – [3] *hold* lieblich, anmutig

Als der Pfarrer sie aber zum zweiten Mal in der Kirche aufgeboten[1] hatte: »Wenn nun jemand Hindernisse anzuzeigen wüßte, warum diese Personen nicht heiraten sollten . . .«, da meldete sich der Tod. Denn als der Jüngling den anderen Morgen in seiner schwarzen Bergmannskleidung an ihrem Haus vorüberging – der Bergmann hat immer sein Totenkleid an –, da klopfte er zwar noch einmal an ihrem Fenster und sagte ihr guten Morgen, aber keinen guten Abend mehr. Er kam nicht aus dem Bergwerk zurück, und sie nähte vergeblich am selben Tage ein schwarzes Halstuch mit rotem Rand für ihn zum Hochzeitstag. Und als er nicht mehr zurückkehrte, legte sie es weg und weinte um ihn und vergaß ihn nie.

Unterdessen wurde die Stadt Lissabon durch ein Erdbeben zerstört, und der siebenjährige Krieg[2] ging vorüber, Polen wurde geteilt, die französische Revolution fing an, Napoleon eroberte Preußen, und die Ackerleute säten und ernteten. Der Müller mahlte, und die Schmiede hämmerten, und die Bergleute gruben nach den Metallen in ihrer unterirdischen[3] Werkstatt.

Als aber die Bergleute in Falun im Jahre 1809 zwischen zwei Schächten eine Öffnung durchgraben wollten, sehr tief unter dem Boden, gruben sie aus dem Schutt[4] und Vitriolwasser[5] den Leichnam[6] eines Jünglings heraus, der ganz mit Eisenvitriol durchdrungen, sonst aber unverwest[7] und unverändert war, so daß man seine Gesichtszüge und sein Alter völlig erkennen konnte, als wenn er erst vor einer Stunde gestorben oder ein wenig eingeschlafen wäre an der Arbeit.

Als man ihn aber zutage gebracht[8] hatte – Vater und Mutter, Freunde und Bekannte waren schon lange tot –, konnte sich niemand mehr an den schlafenden Jüngling oder an sein Unglück erinnern, bis die ehemalige Verlobte des Bergmanns kam, der eines Tages auf die Schicht gegangen und nicht mehr zurückgekehrt war. Grau und zusammengeschrumpft kam sie an einer Krücke an den Platz und erkannte ihren Bräutigam. Und mehr mit freudigem Entzücken als mit Schmerz sank sie auf die geliebte Leiche nieder, und erst als sie sich von einer langen, heftigen Bewegung des Gemütes erholt

---

[1] *auf'bieten* hier: eine beabsichtigte Heirat in der Kirche bekannt machen; die Verlobten bestellen beim Pfarrer das »Aufgebot«, und der Pfarrer bietet das Paar vor der Eheschließung dreimal in der Kirche auf, damit die Leute auch die Möglichkeit haben, gegen die Ehe zu protestieren – [2] *der siebenjährige Krieg* (1756–63): zuerst Krieg zwischen Österreich und Preußen, der zum europäischen Krieg wurde, in dem Friedrich II. Preußens Stellung als neue Großmacht behauptete – [3] *unterirdisch* unter der Erde – [4] *der Schutt* Steinbrocken – [5] *Vitriol* Schwefelsalz, das sich in Wasser löst und desinfizierend wirkt – [6] *der Leichnam*, -e Leiche – [7] *unverwest* Gegenteil von: *verwest* ein toter Körper löst sich auf – [8] *in zutage bringen* aus der Erde ans Tageslicht bringen

hatte, sagte sie endlich: »Es ist mein Verlobter, um den ich fünfzig Jahre lang getrauert habe und den mich Gott noch einmal sehen läßt vor meinem Ende. Acht Tage vor der Hochzeit ist er unter die Erde gegangen und nicht mehr heraufgekommen.«

Da wurden die Gemüter aller Umstehenden von Wehmut[1] und Tränen ergriffen, als sie die ehemalige Braut jetzt in der Gestalt des verwelkten, kraftlosen Alters sahen und den Bräutigam noch in seiner jugendlichen Schönheit, und wie in ihrer Brust nach fünfzig Jahren die Flamme der jugendlichen Liebe noch einmal erwachte. Aber er öffnete den Mund nicht mehr zum Lächeln oder die Augen zum Wiedererkennen. Und als sie ihn endlich von den Bergleuten zu Grabe tragen ließ, als die einzige, die ihm angehöre und ein Recht auf ihn habe, bis sein Grab gerüstet sei[2] auf dem Kirchhof und ihn die Bergleute holten, schloß sie ein Kästlein auf, legte ihm das schwarzseidene Halstuch mit roten Streifen um und begleitete ihn dann in ihrem Sonntagsgewand, als wenn es ihr Hochzeitstag und nicht der Tag seiner Beerdigung wäre. Denn als man ihn auf dem Kirchhof ins Grab legte, sagte sie: »Schlafe nun wohl, noch einen Tag oder zehn im kühlen Hochzeitsbett, und laß' dir die Zeit nicht lang werden. Ich habe nur noch ein wenig zu tun und komme bald, und bald wird es wieder Tag. Was die Erde einmal wiedergegeben hat, wird sie zum zweiten Mal auch nicht behalten.«

* * *

Bertolt Brecht

Der Augsburger Kreidekreis

Zu der Zeit des Dreißigjährigen Krieges[3] besaß ein Schweizer Protestant namens Zingli eine große Gerberei mit einer Lederhandlung in der freien Reichsstadt[4] Augsburg am Lech. Er war mit einer Augsburgerin verheiratet und hatte ein Kind von ihr. Als die Katholischen auf die Stadt zu marschierten, rieten ihm seine Freunde dringend zur Flucht, aber, sei es, daß seine kleine Familie ihn hielt, sei es, daß er seine Gerberei nicht im Stich lassen[5] wollte, er konnte sich jedenfalls nicht entschließen, beizeiten wegzureisen.

---

[1] *die Wehmut* leichter, seelischer Schmerz – [2] *das Grab rüsten* es vorbereiten – [3] *1618–48.* Deutscher Religionskrieg zwischen Katholiken und Protestanten, der durch das Eingreifen Frankreichs zu einem europäischen Hegemonie-Krieg wurde. – [4] *Freie Reichsstädte* waren im Mittelalter solche Städte, die nicht einem Landesfürsten, sondern nur dem deutschen Kaiser unterstanden. – [5] *ich lasse jn oder et. im Stich* (id.) ich verlasse sie in der Gefahr

So war er noch in der Stadt, als die kaiserlichen Truppen sie stürmten, und als am Abend geplündert wurde, versteckte er sich in einer Grube im Hof, wo die Farben aufbewahrt wurden. Seine Frau sollte mit dem Kind zu ihren Verwandten in die Vorstadt ziehen, aber sie hielt sich zu lange damit auf, ihre Sachen, Kleider, Schmuck und Betten zu packen, und so sah sie plötzlich, von einem Fenster des ersten Stockes aus, eine Rotte[1] kaiserlicher Soldaten in den Hof dringen. Außer sich[2] vor Schrecken ließ sie alles stehen und liegen und rannte durch eine Hintertür aus dem Anwesen[3].

So blieb das Kind im Hause zurück. Es lag in der großen Diele in seiner Wiege und spielte mit einem Holzball, der an einer Schnur von der Decke hing.

Nur eine junge Magd war noch im Hause. Sie hantierte in der Küche mit dem Kupferzeug[4], als sie Lärm von der Gasse her hörte. Ans Fenster stürzend, sah sie, wie aus dem ersten Stock des Hauses gegenüber von Soldaten allerhand Beutestücke auf die Gasse geworfen wurden. Sie lief in die Diele und wollte eben das Kind aus der Wiege nehmen, als sie das Geräusch schwerer Schläge gegen die eichene Haustür hörte. Sie wurde von Panik[5] ergriffen und flog die Treppe hinauf.

Die Diele füllte sich mit betrunkenen Soldaten, die alles kurz und klein schlugen. Sie wußten, daß sie sich im Haus eines Protestanten befanden. Wie durch ein Wunder blieb bei der Durchsuchung und Plünderung Anna, die Magd, unentdeckt. Die Rotte verzog sich, aus dem Schrank herauskletternd, in dem sie gestanden hatte, fand Anna auch das Kind in der Diele unversehrt[6]. Sie nahm es hastig an sich und schlich mit ihm auf den Hof hinaus. Es war inzwischen Nacht geworden, aber der rote Schein eines in der Nähe brennenden Hauses erhellte den Hof, und entsetzt erblickte sie die übel zugerichtete Leiche des Hausherrn. Die Soldaten hatten ihn aus seiner Grube gezogen und erschlagen.

Erst jetzt wurde der Magd klar, welche Gefahr sie lief[7], wenn sie mit dem Kind des Protestanten auf der Straße aufgegriffen wurde. Sie legte es schweren Herzens in die Wiege zurück, gab ihm etwas Milch zu trinken, wiegte es in Schlaf und machte sich auf den Weg in den Stadtteil, wo ihre verheiratete Schwester wohnte. Gegen zehn Uhr nachts drängte sie sich, begleitet vom Mann ihrer Schwester, durch das Getümmel der ihren Sieg feiernden Sol-

---

[1] *die Rotte, -n* kleine Gruppe von Soldaten – [2] *sie ist außer sich vor Angst (Zorn usw.)* sie kann nicht mehr denken und überlegen – [3] *das Anwesen* Haus und Hof – [4] *das Kupferzeug* hier: Geschirr, das früher oft aus Kupfer war – [5] *die Panik* sehr große Angst – [6] *unversehrt* unverletzt – [7] *sie läuft Gefahr* (id.) sie kommt in Gefahr (immer mit Infinitivsatz: von den Soldaten getötet zu werden – oder mit ›daß‹-Satz)

daten, um in der Vorstadt Frau Zingli, die Mutter des Kindes, aufzusuchen. Sie klopften an die Tür eines mächtigen Hauses, die sich nach geraumer Zeit[1] auch ein wenig öffnete. Ein kleiner alter Mann, Frau Zinglis Onkel, steckte den Kopf heraus. Anna berichtete atemlos, daß Herr Zingli tot, das Kind aber unversehrt im Hause sei. Der Alte sah sie kalt aus fischigen Augen[2] an und sagte, seine Nichte sei nicht mehr da, und er selber habe mit dem Protestantenbankert[3] nichts zu schaffen[4]. Damit machte er die Tür wieder zu. Im Weggehen sah Annas Schwager, wie sich ein Vorhang in einem der Fenster bewegte, und gewann die Überzeugung, daß Frau Zingli da war. Sie schämte sich anscheinend nicht, ihr Kind zu verleugnen[5]. Eine Zeitlang gingen Anna und ihr Schwager schweigend nebeneinander her. Dann erklärte sie ihm, daß sie in die Gerberei zurück und das Kind holen wolle. Der Schwager, ein ruhiger, ordentlicher Mann, hörte sie erschrocken an und suchte ihr die gefährliche Idee auszureden[6]. Was hatte sie mit diesen Leuten zu tun? Sie war nicht einmal anständig behandelt worden.

Anna hörte ihm still zu und versprach ihm, nichts Unvernünftiges zu tun. Jedoch wollte sie unbedingt noch schnell in die Gerberei schauen, ob dem Kind nichts fehle. Und sie wollte allein gehen. Sie setzte ihren Willen durch[7]. Mitten in der zerstörten Halle lag das Kind ruhig in seiner Wiege und schlief. Anna setzte sich müde zu ihm und betrachtete es. Sie hatte nicht gewagt, ein Licht anzuzünden, aber das Haus in der Nähe brannte immer noch, und bei diesem Licht konnte sie das Kind ganz gut sehen. Es hatte einen winzigen Leberfleck[8] am Hälschen.

Als die Magd einige Zeit, vielleicht eine Stunde, zugesehen hatte, wie das Kind atmete und an seiner kleinen Faust saugte, erkannte sie, daß sie zu lange gesessen und zu viel gesehen hatte, um noch ohne das Kind weggehen zu können. Sie stand schwerfällig auf, und mit langsamen Bewegungen hüllte sie es in die Leinendecke, hob es auf den Arm und verließ mit ihm den Hof, sich scheu umschauend, wie eine Person mit schlechtem Gewissen, eine Diebin.

Sie brachte das Kind nach langen Beratungen mit Schwester und Schwager zwei Wochen darauf aufs Land in das Dorf Großaitingen, wo ihr älterer Bruder Bauer war. Der Bauernhof gehörte der Frau, er hatte nur eingehei-

---

[1] *nach geraumer Zeit* nach längerer Zeit – [2] *aus fischigen Augen* mit Augen wie ein Fisch, also gefühllos, kalt – [3] *der Bankert, -e* Kind von schlechter oder zweifelhafter Herkunft – [4] *nichts zu schaffen haben mit jm* nichts zu tun haben mit jm; er ist (mir) gleichgültig, geht mich nichts an – [5] *jn verleugnen* sagen, daß man jn nicht kennt (man kennt ihn aber) – [6] *jm et. aus'reden* jm sagen, daß er et. nicht tun soll – [7] *et. durch'setzen* mit Schwierigkeiten erreichen, was man will – [8] *der Leberfleck, -e* kleiner brauner Fleck in der Haut

ratet[1]. Es war ausgemacht worden, daß sie vielleicht nur dem Bruder sagen
sollte, wer das Kind war, denn sie hatten die junge Bäuerin nie zu Gesicht bekommen[2] und wußten nicht, wie sie einen so gefährlichen kleinen Gast aufnehmen würde.

Anna kam gegen Mittag im Dorf an. Ihr Bruder, seine Frau und das Gesinde[3] saßen beim Mittagessen. Sie wurde nicht schlecht empfangen, aber ein
Blick auf ihre neue Schwägerin[4] veranlaßte sie, das Kind sogleich als ihr eigenes vorzustellen. Erst nachdem sie erzählt hatte, daß ihr Mann in einem ent-
fernten Dorf eine Stellung in einer Mühle hatte und sie dort mit dem Kind in
ein paar Wochen erwartete, taute die Bäuerin auf[5], und das Kind wurde gebührend[6] bewundert. Nachmittags begleitete sie ihren Bruder ins Gehölz,
Holz sammeln. Sie setzten sich auf Baumstümpfe, und Anna schenkte ihm
reinen Wein ein[7]. Sie konnte sehen, daß ihm nicht wohl in seiner Haut war[8].
Seine Stellung auf dem Hof war noch nicht gefestigt, und er lobte Anna sehr,
daß sie seiner Frau gegenüber den Mund gehalten hatte[9]. Es war klar, daß
er seiner jungen Frau keine besonders großzügige Haltung gegenüber dem
Protestantenkind zutraute[10]. Er wollte, daß die Täuschung aufrechterhalten
wurde.

Das war nun auf die Länge[11] nicht leicht.

Anna arbeitete bei der Ernte mit und pflegte »ihr« Kind zwischendurch,
immer wieder vom Feld nach Hause laufend, wenn die andern ausruhten.
Der Kleine gedieh[12] und wurde sogar dick, lachte, so oft er Anna sah, und
suchte kräftig den Kopf zu heben. Aber dann kam der Winter, und die
Schwägerin begann, sich nach Annas Mann zu erkundigen.

Es sprach nichts dagegen, daß Anna auf dem Hof blieb, sie konnte sich
nützlich machen. Das Schlimme war, daß die Nachbarn sich über den Vater
von Annas Jungen wunderten, weil der nie kam, nach ihm zu sehen. Wenn sie
keinen Vater für ihr Kind zeigen konnte, mußte der Hof bald ins Gerede
kommen[13].

---

[1] *ein'heiraten in einen Hof* (meist) eine Bauerntochter heiraten, die die Be-
sitzerin des Hofes ist – [2] *jn zu Gesicht bekommen* jn sehen – [3] *das Gesinde*
Knechte und Mägde – [4] *die Schwägerin, -nen* Frau des Bruders – [5] *jd taut auf* (id.)
er wird allmählich warm, herzlich, freundlich – [6] *gebührend* so wie es sich gehört,
wie es sein muß – [7] *jm reinen Wein ein'schenken* (id.) ihm die Wahrheit sagen –
[8] *ihm ist nicht wohl in seiner Haut* (id.) er fühlt sich nicht wohl, ist ängstlich
oder unzufrieden – [9] *den Mund halten* (fam.) schweigen, nichts über et. erzählen – [10] *jm et. zu'trauen* fest glauben, daß jd et. machen kann oder wird – [11] *auf
die Länge* längere Zeit hindurch – [12] *gedeihen (gedieh, ist gediehen)* gesund
wachsen – [13] *der Hof kommt ins Gerede* man spricht schlecht über den Hof

An einem Sonntagmorgen spannte der Bauer an und hieß Anna laut mitkommen[1], ein Kalb in einem Nachbardorf abzuholen: Auf dem ratternden Fahrweg[2] teilte er ihr mit, daß er für sie einen Mann gesucht und gefunden hätte. Es war ein todkranker Häusler[3], der kaum den ausgemergelten[4] Kopf vom schmierigen Laken heben konnte, als die beiden in seiner niedrigen Hütte standen.

Er war willig, Anna zu ehelichen. Am Kopfende des Lagers stand eine gelbhäutige Alte, seine Mutter. Sie sollte ein Entgelt[5] für den Dienst, der Anna erwiesen wurde, bekommen.

Das Geschäft war in zehn Minuten ausgehandelt, und Anna und ihr Bruder konnten weiterfahren und ihr Kalb erstehen[6]. Die Verehelichung fand Ende derselben Woche statt. Während der Pfarrer die Trauungsformel murmelte, wandte der Kranke nicht ein einziges Mal den glasigen Blick auf Anna. Ihr Bruder zweifelte nicht, daß sie den Totenschein in wenigen Tagen haben würden. Dann war Annas Mann und Kindsvater auf dem Weg zu ihr in einem Dorf bei Augsburg irgendwo gestorben, und niemand würde sich wundern, wenn die Witwe im Haus ihres Bruders bleiben würde.

Anna kam froh von ihrer seltsamen Hochzeit zurück, auf der es weder Kirchenglocken noch Blechmusik, weder Jungfern noch Gäste gegeben hatte. Sie verzehrte als Hochzeitsschmaus ein Stück Brot mit einer Scheibe Speck in der Speisekammer und trat mit ihrem Bruder dann vor die Kiste, in der das Kind lag, das jetzt einen Namen hatte. Sie stopfte das Laken[7] fester und lachte ihren Bruder an.

Der Totenschein ließ allerdings auf sich warten[8].

Es kam weder die nächste noch die übernächste Woche Bescheid von der Alten. Anna hatte auf dem Hof erzählt, daß ihr Mann nun auf dem Weg zu ihr sei. Sie sagte nunmehr, wenn man sie fragte, wo er bliebe, der tiefe Schnee mache wohl die Reise beschwerlich. Aber nachdem weitere drei Wochen vergangen waren, fuhr ihr Bruder doch ernstlich beunruhigt in das Dorf bei Augsburg.

Er kam spät in der Nacht zurück. Anna war noch auf und lief zur Tür, als sie das Fuhrwerk auf dem Hof knarren hörte. Sie sah, wie langsam der Bauer ausspannte, und ihr Herz krampfte sich zusammen.

---

[1] *er hieß sie mitkommen* er befahl ihr, mitzukommen – [2] *der ratternde Fahrweg* eine Straße, die so schlecht ist, daß die Wagen sehr laut und schwankend fahren – [3] *der Häusler,* - Landarbeiter ohne eigenen Besitz – [4] *ausgemergelt* kraftlos, wie wenn nur die Haut über die Knochen gespannt wäre – [5] *das Entgelt* Lohn – [6] *et. erstehen* hier: kaufen – [7] *das Laken,* - Leintuch für das Bett – [8] *et. läßt auf sich warten* es kommt nicht

Er brachte üble Nachricht. In die Hütte tretend hatte er den Todgeweihten[1] beim Abendessen am Tisch sitzend vorgefunden, in Hemdsärmeln mit beiden Backen kauend. Er war wieder völlig gesundet. Der Bauer sah Anna nicht ins Gesicht, als er weiter berichtete. Der Häusler, er hieß übrigens Otterer, und seine Mutter schienen über die Wendung ebenfalls überrascht und waren wohl noch zu keinem Entschluß gekommen, was zu geschehen hätte. Otterer habe keinen unangenehmen Eindruck gemacht. Er hatte wenig gesprochen, jedoch einmal seine Mutter, als sie darüber jammern wollte, daß er nun ein ungewünschtes Weib und ein fremdes Kind auf dem Hals habe, zum Schweigen verwiesen[2]. Er aß bedächtig[3] seine Käsespeise weiter während der Unterhaltung und aß noch, als der Bauer wegging.

Die nächsten Tage war Anna natürlich sehr bekümmert[4]. Zwischen ihrer Hausarbeit lehrte sie den Jungen gehen. Wenn er den Spinnrocken[5] losließ und mit ausgestreckten Ärmchen auf sie zugewackelt kam, unterdrückte sie ein trockenes Schluchzen und umklammerte ihn fest, wenn sie ihn auffing.

Einmal fragte sie ihren Bruder: Was ist er für einer? Sie hatte ihn nur auf dem Sterbebett gesehen und nur abends beim Schein einer schwachen Kerze. Jetzt erfuhr sie, daß ihr Mann ein abgearbeiteter Fünfziger sei, halt so[6], wie ein Häusler ist.

Bald darauf sah sie ihn. Ein Hausierer hatte ihr mit einem großen Aufwand an Heimlichkeit ausgerichtet, daß ›ein gewisser Bekannter‹ sie an dem und dem Tag[7] zu der und der Stunde bei dem und dem Dorf, da wo der Fußweg nach Landsberg abgeht, treffen wolle. So begegneten die Verehelichten sich zwischen ihren Dörfern wie die antiken Feldherren zwischen ihren Schlachtreihen im offenen Gelände, das vom Schnee bedeckt war.

Der Mann gefiel Anna nicht.

Er hatte kleine graue Zähne, sah sie von oben bis unten an, obwohl sie in einem dicken Schafspelz steckte und nicht viel zu sehen war, und gebrauchte dann die Wörter ›Sakrament der Ehe‹. Sie sagte ihm kurz, sie müsse sich alles noch überlegen, und er möchte ihr durch irgendeinen Händler oder Schlächter[8], der durch Großaitingen kam, vor ihrer Schwägerin ausrichten lassen, er werde jetzt bald kommen und sei nur auf dem Weg erkrankt.

Otterer nickte in seiner bedächtigen Weise. Er war über einen Kopf größer

---

[1] *todgeweiht* ist jd, der bald sterben muß – [2] *jn zum Schweigen verweisen (verwies, verwiesen)* jm befehlen zu schweigen – [3] *bedächtig* langsam und nachdenklich – [4] *bekümmert* traurig – [5] *der Spinnrocken* Rad, mit dem man z. B. aus Wolle Fäden macht – [6] *halt so* (südd.) eben so, gerade so; das modale Adverb gibt der Aussage hier eine gleichgültige Nuance – [7] *an dem und dem Tag* an einem bestimmten Tag, der aber den Leser nicht interessiert – [8] *der Schlächter* Metzger, Fleischer

als sie und blickte immer auf ihre linke Halsseite beim Reden, was sie aufbrachte[1].

Die Botschaft kam aber nicht, und Anna ging mit dem Gedanken um, mit dem Kind einfach vom Hof zu gehen und weiter südwärts, etwa in Kempten oder Sonthofen, eine Stellung zu suchen. Nur die Unsicherheit der Landstraßen, über die viel geredet wurde, und daß es mitten im Winter war, hielt sie zurück.

Der Aufenthalt auf dem Hof wurde aber jetzt schwierig. Die Schwägerin stellte am Mittagstisch vor allem Gesinde mißtrauische Fragen nach ihrem Mann. Als sie einmal sogar, mit falschem Mitleid auf das Kind sehend, laut »armes Wurm« sagte, beschloß Anna, doch zu gehen, aber da wurde das Kind krank.

Es lag unruhig mit hochrotem Kopf und trüben Augen in seiner Kiste, und Anna wachte ganze Nächte über ihm in Angst und Hoffnung. Als es sich wieder auf dem Weg zur Besserung befand und sein Lächeln zurückgefunden hatte, klopfte es eines Vormittags an die Tür, und herein trat Otterer.

Es war niemand außer Anna und dem Kind in der Stube, so daß sie sich nicht verstellen[2] mußte, was ihr bei ihrem Schrecken auch wohl unmöglich gewesen wäre. Sie standen eine gute Weile wortlos, dann äußerte Otterer, er habe die Sache seinerseits überlegt und sei gekommen, sie zu holen. Er erwähnte wieder das Sakrament der Ehe. Anna wurde böse. Mit fester, wenn auch unterdrückter Stimme sagte sie dem Mann, sie denke nicht daran, mit ihm zu leben, sie sei die Ehe nur eingegangen ihres Kindes wegen und wolle von ihm nichts, als daß er ihr und dem Kind seinen Namen gebe.

Otterer blickte, als sie von dem Kind sprach, flüchtig nach der Richtung der Kiste, in der es lag und brabbelte[3], trat aber nicht hinzu. Das nahm Anna noch mehr gegen ihn ein[4].

Er ließ ein paar Redensarten fallen; sie solle sich alles noch einmal überlegen, bei ihm sei Schmalhans Küchenmeister[5] und seine Mutter könne in der Küche schlafen. Dann kam die Bäuerin herein, begrüßte ihn neugierig und lud ihn zum Mittagessen. Den Bauern begrüßte er, schon am Teller sitzend, mit einem nachlässigen Kopfnicken, weder vortäuschend[6], er kenne ihn nicht, noch verratend, daß er ihn kannte. Auf die Fragen der Bäuerin antwortete er

---

[1] et. bringt mich auf reizt mich, macht mich ärgerlich – [2] sich verstellen sich anders benehmen, als man wirklich ist; Gefühle zeigen, die man in Wirklichkeit nicht hat – [3] brabbeln undeutlich sprechen – [4] jn ein'nehmen für (gegen) jn; Otterers Verhalten nahm Anna gegen ihn ein es machte ihr ihn unsympathisch – [5] wo Schmalhans Küchenmeister ist, gibt es nur wenig und schlechtes Essen – [6] vor'-täuschen, er kenne ihn nicht so tun als ob er ihn nicht kenne

einsilbig[1], seine Blicke nicht vom Teller hebend, er habe in Mering eine Stelle gefunden, und Anna könne zu ihm ziehen. Jedoch sagte er nichts mehr davon, daß dies gleich[2] sein müsse.

Am Nachmittag vermied[3] er die Gesellschaft des Bauern und hackte hinter dem Haus Holz, wozu ihn niemand aufgefordert hatte. Nach dem Abendessen, an dem er wieder schweigend teilnahm, trug die Bäuerin selber ein Deckbett in Annas Kammer, damit er dort übernachten konnte, aber da stand er merkwürdigerweise schwerfällig auf und murmelte, daß er noch am selben Abend zurück müsse. Bevor er ging, starrte er mit abwesendem Blick in die Kiste mit dem Kind, sagte aber nichts und rührte es nicht an.

In der Nacht wurde Anna krank und verfiel in ein Fieber[4], das wochenlang dauerte. Die meiste Zeit lag sie teilnahmslos, nur ein paarmal gegen Mittag, wenn das Fieber etwas nachließ, kroch sie zu der Kiste mit dem Kind und stopfte die Decke zurecht.

In der vierten Woche ihrer Krankheit fuhr Otterer mit einem Leiterwagen auf dem Hof vor und holte sie und das Kind ab. Sie ließ es wortlos geschehen.

Nur sehr langsam kam sie wieder zu Kräften, kein Wunder bei den dünnen Suppen der Häuslerhütte. Aber eines Morgens sah sie, wie schmutzig das Kind gehalten war, und stand entschlossen auf. Der Kleine empfing sie mit seinem freundlichen Lächeln, von dem ihr Bruder immer behauptet hatte, er habe es von ihr. Er war gewachsen und kroch mit unglaublicher Geschwindigkeit in der Kammer herum, mit den Händen aufpatschend und kleine Schreie ausstoßend, wenn er auf das Gesicht niederfiel. Sie wusch ihn in einem Holzzuber[5] und gewann ihre Zuversicht zurück.

Wenige Tage später freilich konnte sie das Leben in der Hütte nicht mehr aushalten. Sie wickelte den Kleinen in ein paar Decken, steckte ein Brot und etwas Käse ein und lief weg.

Sie hatte vor, nach Sonthofen zu kommen, kam aber nicht weit. Sie war noch recht schwach auf den Beinen, die Landstraße lag unter der Schneeschmelze und die Leute in den Dörfern waren durch den Krieg sehr mißtrauisch und geizig geworden. Am dritten Tag ihrer Wanderung verstauchte sie sich den Fuß[6] in einem Straßengraben und wurde nach vielen Stunden, in denen sie um das Kind bangte[7], auf einen Hof gebracht, wo sie im Stall liegen mußte. Der Kleine kroch zwischen den Beinen der Kühe herum und

---

[1] *einsilbig antworten* kurz, nur mit ja oder nein antworten, – [2] *gleich* hier: sofort – [3] *et. vermeiden (vermied, vermieden)* einer Sache ausweichen, et. nicht tun – [4] *in ein Fieber verfallen* Fieber bekommen – [5] *der Holzzuber* Wanne aus Holz mit zwei Henkeln – [6] *den Fuß verstauchen* ihn verletzen – [7] *um jn bangen* Angst haben um jn

lachte nur, wenn sie ängstlich aufschrie. Am Ende mußte sie den Leuten des Hofs den Namen ihres Mannes sagen, und er holte sie wieder nach Mering.

Von nun an machte sie keinen Fluchtversuch mehr und nahm ihr Los[1] hin. Sie arbeitete hart. Es war schwer, aus dem kleinen Acker etwas herauszuholen und die winzige Wirtschaft in Gang zu halten. Jedoch war der Mann nicht unfreundlich zu ihr, und der Kleine wurde satt. Auch kam ihr Bruder mitunter herüber und brachte dies und jenes als Präsent, und einmal konnte sie dem Kleinen sogar ein Röcklein rot einfärben lassen. Das, dachte sie, mußte dem Kind eines Färbers gut stehen.

Mit der Zeit wurde sie ganz zufrieden gestimmt und erlebte viele Freude bei der Erziehung des Kleinen. So vergingen mehrere Jahre. Aber eines Tages ging sie ins Dorf Sirup holen, und als sie zurückkehrte, war das Kind nicht in der Hütte, und ihr Mann berichtete ihr daß eine feingekleidete Frau in einer Kutsche[2] vorgefahren sei und das Kind geholt habe. Sie taumelte[3] an die Wand vor Entsetzen, und am selben Abend noch machte sie sich, nur ein Bündel mit Eßbarem tragend, auf den Weg nach Augsburg.

Ihr erster Gang in der Reichsstadt war zur Gerberei. Sie wurde nicht vorgelassen[4] und bekam das Kind nicht zu sehen.

Schwester und Schwager versuchten vergebens, ihr Trost zuzureden. Sie lief zu den Behörden und schrie außer sich, man habe ihr Kind gestohlen. Sie ging so weit, anzudeuten, daß Protestanten ihr Kind gestohlen hätten. Sie erfuhr daraufhin, daß jetzt andere Zeiten herrschten und zwischen Katholiken und Protestanten Frieden geschlossen worden sei.

Sie hätte kaum etwas ausgerichtet[5], wenn ihr nicht ein besonderer Glücksumstand zu Hilfe gekommen wäre. Ihre Rechtssache wurde an einen Richter verwiesen[6], der ein ganz besonderer Mann war.

Es war das der Richter Ignaz Dollinger, in ganz Schwaben berühmt wegen seiner Grobheit und Gelehrsamkeit, vom Kurfürsten von Bayern, mit dem er einen Rechtsstreit der freien Reichsstadt ausgetragen hatte, ›dieser lateinische Mistbauer‹ getauft, vom niedrigen Volk aber in einer langen Moritat[7] löblich besungen.

---

[1] *das Los* hier: Schicksal; *sein Los hin'nehmen* sich nicht dagegen wehren – [2] *die Kutsche, -n* Personenwagen, der von Pferden gezogen wird – [3] *taumeln* sich unsicher, schwankend bewegen (im Fieber, vor Schreck oder Entsetzen) – [4] *nicht vorgelassen werden* nicht eintreten können bei jm, den man besuchen will – [5] *et. aus'richten* hier: et. erreichen – [6] *eine Rechtssache an jn verweisen* jm verantwortlich zur Klärung übergeben – [7] *die Moritat, -en* Geschichte von Verbrechen und gerechter Strafe, in einfacher Form, meist als Lied, für das Volk erzählt

Von Schwester und Schwager begleitet kam Anna vor ihn. Der kurze, aber ungemein fleischige alte Mann saß in einer winzigen kahlen Stube zwischen Stößen von Pergamenten und hörte sie nur ganz kurz an. Dann schrieb er etwas auf ein Blatt, brummte: »Tritt dort hin, aber mach schnell!« und dirigierte sie mit seiner kleinen plumpen Hand an eine Stelle des Raumes, auf die durch das schmale Fenster das Licht fiel. Für einige Minuten sah er genau ihr Gesicht an, dann winkte er sie mit einem Stoßseufzer[1] weg.

Am nächsten Tag ließ er sie durch einen Gerichtsdiener holen und schrie sie, als sie noch auf der Schwelle[2] stand, an: »Warum hast du keinen Ton davon gesagt, daß es um eine Gerberei mit einem pfundigen[3] Anwesen geht?«

Anna sagte verstockt[4], daß es ihr um das Kind gehe.

»Bild dir nicht ein, daß du die Gerberei schnappen[5] kannst«, schrie der Richter. »Wenn der Bankert wirklich deiner ist, fällt das Anwesen an die Verwandten von dem Zingli.«

Anna nickte, ohne ihn anzuschauen. Dann sagte sie: »Er braucht die Gerberei nicht.«

»Ist er deiner?« bellte der Richter.

»Ja«, sagte sie leise. »Wenn ich ihn nur so lange behalten dürfte, bis er alle Wörter kann. Er weiß erst sieben.«

Der Richter hustete und ordnete die Pergamente auf seinem Tisch. Dann sagte er ruhiger, aber immer noch in ärgerlichem Ton: »Du willst den Knirps[6], und die Ziege da[7] mit ihren fünf Seidenröcken will ihn. Aber er braucht die rechte Mutter.«

»Ja«, sagte Anna und sah den Richter an.

»Verschwind«, brummte er. »Am Samstag halt ich Gericht.«

An diesem Samstag war die Hauptstraße und der Platz vor dem Rathaus schwarz von Menschen, die dem Prozeß um das Protestantenkind beiwohnen wollten. Der sonderbare Fall hatte von Anfang an viel Aufsehen erregt, und in Wohnungen und Wirtschaften wurde darüber gestritten, wer die echte und wer die falsche Mutter war. Auch war der alte Dollinger weit und breit berühmt wegen seiner volkstümlichen Prozesse mit ihren bissigen Redensarten und Weisheitssprüchen. Seine Verhandlungen waren beliebter als Plärrer[8] und Kirchweih.

---

[1] *der Stoßseufzer* kurzer Seufzer darüber, daß man et. tun muß, was unangenehm ist – [2] *die Schwelle, –n* Bodenstück, das direkt in der Türe liegt – [3] *pfundig* wertvoll, großartig (Ugs.) – [4] *verstockt* ist jd, der sich schlecht behandelt fühlt und deshalb falsch reagiert – [5] *schnappen* hier: erhalten, bekommen (Ugs.) – [6] *der Knirps, –e* kleiner Mann, kleiner Junge – [7] *die Ziege da* die andere Frau (sehr geringschätzig) – [8] *der Plärrer* (von: *plärren* brüllen) Name für den großen Viehmarkt, auch ein beliebtes Volksfest

So stauten sich vor dem Rathaus nicht nur viele Augsburger; auch nicht wenige Bauersleute der Umgegend waren da. Freitag war Markttag, und sie hatten in Erwartung des Prozesses in der Stadt übernachtet. Der Saal, in dem Richter Dollinger verhandelte, war der sogenannte Goldene Saal. Er war berühmt als einziger Saal von dieser Größe in ganz Deutschland, der keine Säulen hatte; die Decke war an Ketten im Dachfirst[1] aufgehängt.

Der Richter Dollinger saß, ein kleiner runder Fleischberg, vor dem geschlossenen Erztor der einen Längswand. Ein gewöhnliches Seil trennte die Zuhörer ab. Aber der Richter saß auf ebenem Boden und hatte keinen Tisch vor sich. Er hatte selber vor Jahren diese Anordnung getroffen; er hielt viel von Aufmachung[2].

Anwesend innerhalb des abgeseilten Raums waren Frau Zingli mit ihren Eltern, die zugereisten Schweizer Verwandten des verstorbenen Herrn Zingli, zwei gutgekleidete würdige Männer, aussehend wie wohlbestallte[3] Kaufleute, und Anna Otterer mit ihrer Schwester. Neben Frau Zingli sah man eine Amme mit dem Kind.

Alle, Parteien und Zeugen, standen. Der Richter Dollinger pflegte zu sagen, daß die Verhandlungen kürzer ausfielen, wenn die Beteiligten stehen mußten. Aber vielleicht ließ er sie auch nur stehen, damit sie ihn vor dem Publikum verdeckten, so daß man ihn nur sah, wenn man sich auf die Fußzehen stellte und den Hals ausrenkte[4].

Zu Beginn der Verhandlung kam es zu einem Zwischenfall. Als Anna das Kind erblickte, stieß sie einen Schrei aus und trat vor, und das Kind wollte zu ihr, strampelte heftig in den Armen der Amme und fing an zu brüllen. Der Richter ließ es aus dem Saal bringen.

Dann rief er Frau Zingli auf.

Sie kam vorgerauscht und schilderte, ab und zu ein Sacktüchlein[5] an die Augen lüftend, wie bei der Plünderung die kaiserlichen Soldaten ihr das Kind entrissen hätten. Noch in derselben Nacht war die Magd in das Haus ihres Vaters gekommen und hatte berichtet, das Kind sei noch im Haus, wahrscheinlich in Erwartung eines Trinkgelds. Eine Köchin ihres Vaters habe jedoch das Kind, in die Gerberei geschickt, nicht vorgefunden, und sie nehme an, die Person (sie deutete auf Anna) habe sich seiner bemächtigt[6], um irgendwie Geld

---

[1] *der Dachfirst, –e* oberste Kante des Daches – [2] *die Aufmachung* Art und Weise, wie eine Sache präsentiert wird – [3] *wohlbestallt* ist jd, der ein gutes sicheres Einkommen hat – [4] *sich et. aus'renken* ein Gelenk so verletzen, daß es nicht mehr funktioniert, *sich den Hals ausrenken* (metaph.) den Hals lang machen, damit man besser sieht – [5] *das Sacktuch, "–er* heute: Taschentuch – [6] *sich js bemächtigen* jn festhalten und nicht freilassen

erpressen[1] zu können. Sie wäre auch wohl über kurz oder lang[2] mit solchen Forderungen hervorgekommen, wenn man ihr nicht zuvor das Kind abgenommen hätte.

Der Richter Dollinger rief die beiden Verwandten des Herrn Zingli auf und fragte sie, ob sie sich damals nach Herrn Zingli erkundigt hätten und was ihnen von Frau Zingli erzählt worden sei.

Sie sagten aus, Frau Zingli habe sie wissen lassen, ihr Mann sei erschlagen worden, und das Kind habe sie einer Magd anvertraut[3], bei der es in guter Hut sei. Sie sprachen sehr unfreundlich von ihr, was allerdings kein Wunder war, denn das Anwesen fiel an sie, wenn der Prozeß für Frau Zingli verlorenging.

Nach ihrer Aussage wandte sich der Richter wieder an Frau Zingli und wollte von ihr wissen, ob sie nicht einfach bei dem Überfall damals den Kopf verloren und das Kind im Stich gelassen[4].

Frau Zingli sah ihn mit ihren blassen blauen Augen wie verwundert an und sagte gekränkt, sie habe ihr Kind nicht im Stich gelassen.

Der Richter Dollinger räusperte sich und fragte sie interessiert, ob sie glaube, daß keine Mutter ihr Kind im Stich lassen könnte.

Ja, das glaube sie, sagte sie fest.

Ob sie dann glaube, fragte der Richter weiter, daß einer Mutter, die es doch tue, der Hintern verhauen werden müßte, gleichgültig, wie viele Röcke sie darüber trage?

Frau Zingli gab keine Antwort, und der Richter rief die frühere Magd Anna auf. Sie trat schnell vor und sagte mit leiser Stimme, was sie schon bei der Voruntersuchung gesagt hatte. Sie redete aber, als ob sie zugleich horchte, und ab und zu blickte sie nach der großen Tür, hinter die man das Kind gebracht hatte, als fürchtete sie, daß es noch immer schreie.

Sie sagte aus, sie sei zwar in jener Nacht zum Haus von Frau Zinglis Onkel gegangen, dann aber nicht in die Gerberei zurückgekehrt, aus Furcht vor den Kaiserlichen und weil sie Sorgen um ihr eigenes, lediges Kind gehabt habe, das bei guten Leuten im Nachbarort Lechhausen untergebracht gewesen sei.

Der alte Dollinger unterbrach sie grob und schnappte[5], es habe also zumindest eine Person in der Stadt gegeben, die so etwas wie Furcht verspürt

---

[1] *Geld erpressen* mit Drohungen Geld verlangen – [2] *über kurz oder lang* früher oder später – [3] *jm eine Sache oder Person an'vertrauen* jm et. sehr Kostbares übergeben, damit er es aufhebe – [4] *jn im Stich lassen* in der Not verlassen – [5] *schnappen* hier: in scharfem Ton sprechen

habe. Er freue sich, das feststellen zu können, denn es beweise, daß eben zumindest eine Person damals einige Vernunft besessen habe. Schön sei es allerdings von der Zeugin nicht gewesen, daß sie sich nur um ihr eigenes Kind gekümmert habe, andererseits aber heiße es ja im Volksmund[1], Blut sei dicker als Wasser, und was eine rechte Mutter sei, die gehe auch stehlen für ihr Kind, das sei aber vom Gesetz streng verboten, denn Eigentum sei Eigentum, und wer stehle, der lüge auch, und lügen sei ebenfalls vom Gesetz verboten. Und dann hielt er eine seiner weisen und derben Lektionen über die Abgefeimtheit[2] der Menschen, die das Gericht anschwindelten, bis sie blau im Gesicht seien, und nach einem kleinen Abstecher[3] über die Bauern, die die Milch unschuldiger Kühe mit Wasser verpanschten[4], und den Magistrat der Stadt, der zu hohe Marktsteuern von den Bauern nehme, der überhaupt nichts mit dem Prozeß zu tun hatte, verkündigte er, daß die Zeugenaussage geschlossen sei und nichts ergeben habe.

Dann machte er eine lange Pause und zeigte alle Anzeichen der Ratlosigkeit, sich umblickend, als erwarte er von irgendeiner Seite her einen Vorschlag, wie man zu einem Schluß kommen könnte.

Die Leute sahen sich verblüfft an, und einige reckten die Hälse, um einen Blick auf den hilflosen Richter zu erwischen. Es blieb aber sehr still im Saal, nur von der Straße herauf konnte man die Menge hören.

Dann ergriff der Richter wieder seufzend das Wort.

»Es ist nicht festgestellt worden, wer die rechte Mutter ist«, sagte er. »Das Kind ist zu bedauern. Man hat schon gehört, daß die Väter sich oft drücken[5] und nicht die Väter sein wollen, die Schufte[6], aber hier melden sich gleich zwei Mütter. Der Gerichtshof hat ihnen so lange zugehört, wie sie es verdienen, nämlich einer jeden geschlagene fünf Minuten[7], und der Gerichtshof ist zu der Überzeugung gelangt, daß beide wie gedruckt lügen[8]. Nun ist aber, wie gesagt, auch noch das Kind zu bedenken[9], das eine Mutter haben muß. Man muß also, ohne auf bloßes Geschwätz einzugehen, feststellen, wer die rechte Mutter des Kindes ist.«

---

[1] *im Volksmund* in der Sprache der einfachen Leute – [2] *die Abgefeimtheit* Nomen zu: *abgefeimt* ist jd, der zugleich schlecht (verdorben) und schlau ist – [3] *der Abstecher,* – kurze Reise, die vom Hauptweg abführt; hier: über Dinge sprechen, die nicht zum Thema gehören – [4] *verpantschen* in et. Gutes et. Minderwertiges mischen (z. B. in die Milch Wasser tun) – [5] *sich von et. drücken* (z. B. von der Arbeit, vom Bezahlen) et. nicht tun, was man eigentlich tun sollte (id.) – [6] *der Schuft, –e* sehr gemeiner Mensch – [7] *geschlagene fünf Minuten* (auf den Uhrenschlag) genau fünf Min. – [8] *wie gedruckt lügen* perfekt, sehr lügen – [9] et. *bedenken* daran denken, bevor man eine Entscheidung trifft.

Und mit ärgerlicher Stimme rief er den Gerichtsdiener und befahl ihm, eine Kreide zu holen.

Der Gerichtsdiener ging und brachte ein Stück Kreide.

»Zieh mit der Kreide da auf dem Fußboden einen Kreis«, in dem drei Personen stehen können«, wies ihn der Richter an.

Der Gerichtsdiener kniete nieder und zog mit der Kreide den gewünschten Kreis.

»Jetzt bring das Kind«, befahl der Richter.

Das Kind wurde hereingebracht. Es fing wieder an zu heulen und wollte zu Anna. Der alte Dollinger kümmerte sich nicht um das Geplärr und hielt seine Ansprache nur in etwas lauterem Ton.

»Diese Probe, die jetzt vorgenommen werden wird«, verkündete er, »habe ich in einem alten Buch gefunden, und sie gilt als recht gut. Der einfache Grundgedanke der Probe mit dem Kreidekreis ist, daß die echte Mutter an ihrer Liebe zum Kind erkannt wird. Also muß die Stärke dieser Liebe erprobt werden. Gerichtsdiener, stell das Kind in diesen Kreidekreis.«

Der Gerichtsdiener nahm das plärrende Kind von der Hand der Amme und führte es in den Kreis. Der Richter fuhr fort, sich an Frau Zingli und Anna anwendend:

»Stellt auch ihr euch in den Kreidekreis, faßt jede eine Hand des Kindes, und wenn ich ›los‹ sage, dann bemüht euch, das Kind aus dem Kreis zu ziehen. Die von euch die stärkere Liebe hat, wird auch mit der größeren Kraft ziehen und so das Kind auf ihre Seite bringen.«

Im Saal war es unruhig geworden. Die Zuschauer stellten sich auf die Fußspitzen und stritten sich mit den vor ihnen Stehenden. Es wurde aber wieder totenstill, als die beiden Frauen in den Kreis traten und jede eine Hand des Kindes faßte. Auch das Kind war verstummt, als ahnte es, um was es ging. Es hielt sein tränenüberströmtes Gesichtchen zu Anna emporgewendet. Dann kommandierte der Richter »los«.

Und mit einem einzigen heftigen Ruck riß Frau Zingli das Kind aus dem Kreidekreis. Verstört und ungläubig sah Anna ihm nach. Aus Furcht, es könne Schaden erleiden, wenn es an beiden Ärmchen zugleich in zwei Richtungen gezogen würde, hatte sie sogleich losgelassen.

Der alte Dollinger stand auf.

»Und somit wissen wir«, sagte er laut, »wer die rechte Mutter ist. Nehmt dieser Schlampe[1] das Kind weg. Sie würde es kalten Herzens in Stücke rei-

---

[1] *die Schlampe, −n* unordentliche Frau

ßen.« Und er nickte Anna zu und ging schnell aus dem Saal zu seinem Frühstück.

Und in den nächsten Wochen erzählten sich die Bauern der Umgebung, die nicht auf den Kopf gefallen waren[1], daß der Richter, als er der Frau aus Mering das Kind zusprach, mit den Augen gezwinkert habe.

* * *

Franz Kafka

Das Stadtwappen

Anfangs war beim babylonischen Turmbau alles in leidlicher[2] Ordnung; ja, die Ordnung war vielleicht zu groß. Man dachte zu sehr an Wegweiser, Dolmetscher, Arbeiterunterkünfte und Verbindungswege, so als habe man Jahrhunderte freier Arbeitsmöglichkeit vor sich. Die damals herrschende Meinung ging sogar dahin, man könne gar nicht langsam genug bauen. Man argumentierte[3] nämlich so: Das Wesentliche des ganzen Unternehmens ist der Gedanke, einen bis in den Himmel reichenden Turm zu bauen. Neben diesem Gedanken ist alles andere nebensächlich. Der Gedanke, einmal in seiner Größe gefaßt, kann nicht mehr verschwinden; solange es Menschen gibt, wird auch der starke Wunsch da sein, den Turm zu Ende zu bauen. In dieser Hinsicht aber braucht man wegen der Zukunft keine Sorgen zu haben, im Gegenteil; das Wissen der Menschheit steigert sich, die Baukunst hat Fortschritte gemacht und wird weitere Fortschritte machen. Eine Arbeit, zu der wir ein Jahr brauchen, wird in hundert Jahren vielleicht in einem halben Jahr geleistet werden und überdies besser, haltbarer. Warum also schon heute sich bis an die Grenze der Kräfte abmühen? Das hätte nur dann Sinn, wenn man hoffen könnte, den Turm in der Zeit einer Generation aufzubauen. Das aber war auf keine Weise zu erwarten. Eher ließ sich denken, daß die nächste Generation mit ihrem vervollkommneten Wissen die Arbeit der vorigen Generation schlecht finden und das Gebaute niederreißen werde, um von neuem anzufangen.

Solche Gedanken lähmten[4] die Kräfte, und mehr als um den Turmbau kümmerte man sich um den Bau der Arbeiterstadt. Jede Landsmannschaft[5]

---

[1] *er ist (nicht) auf den Kopf gefallen* (id.) er ist (nicht) dumm – [2] *leidlich* einigermaßen richtig – [3] *argumentieren* zu begründen versuchen – [4] *die Kräfte lähmen* sie schwächen – [5] *die Landsmannschaft, -en* Gruppe, Vereinigung von Leuten, die aus der gleichen Gegend, dem gleichen Landesteil stammen

wollte das schönste Quartier haben. Dadurch ergaben sich Streitigkeiten, die sich bis zu blutigen Kämpfen steigerten. Diese Kämpfe hörten nicht mehr auf. Den Führern waren sie ein neues Argument dafür, daß der Turm auch mangels der nötigen Konzentration sehr langsam oder lieber erst nach allgemeinem Friedensschluß gebaut werden sollte. Doch verbrachte man die Zeit nicht nur mit Kämpfen; in den Pausen verschönerte man die Stadt, wodurch man allerdings neuen Neid und neue Kämpfe hervorrief. So verging die Zeit der ersten Generation, aber keine der folgenden war anders; nur die Kunstfertigkeit[1] steigerte sich immerfort und damit die Kampfsucht. Dazu kam, daß schon die zweite oder dritte Generation die Sinnlosigkeit des Himmelsturmbaus erkannte, doch war man schon viel zu sehr miteinander verbunden, um die Stadt zu verlassen.

Alles, was in dieser Stadt an Sagen und Liedern entstanden ist, ist erfüllt von der Sehnsucht nach einem prophezeiten Tag, an welchem die Stadt von einer Riesenfaust in fünf kurz aufeinanderfolgenden Schlägen zerschmettert werden wird. Deshalb hat auch die Stadt die Faust im Wappen.

* * *

Victor Auburtin

DAS ENDE DES ODYSSEUS

Die hundert Freier[2] der Königin Penelope waren erschlagen, und ihre Leichen wurden, in Teppiche gehüllt, aus dem Festsaal getragen, einer nach dem anderen. Obgleich es schon gegen Mitternacht ging, war das Haus nach dem furchtbaren Vorfall noch in voller Bewegung, die Fenster strahlten in die Nacht hinaus, und Diener liefen hin und her. Man hörte, wie in der großen Halle das Blut mit Besen über die Steinfliesen[3] ausgefegt wurde.

In dem hellerleuchteten Schlafgemach begann Odysseus seiner Gattin Penelope von seinem zwanzigjährigen Abenteuer zu erzählen; von Ilion, von dem Streit der Könige im Lager; von der Heimfahrt und den Wunderdingen der fernen See. Aber als er bei Szylla und Charybdis ankam, merkte er, daß Penelope neben ihm eingeschlafen war. Da dachte er: Die Arme hat heute viel durchgemacht[4], ich werde ihr morgen weitererzählen, und legte sein Haupt neben das ihrige auf die Purpurkissen.

---

[1] *die Kunstfertigkeit, –en* handwerkliches Können – [2] *der Freier* jd, der eine Frau heiraten will – [3] *die Steinfliese, –n* hier: Bodenplatte aus Stein – [4] *sie hat viel durchgemacht* sie hat Schweres erlebt

In dem königlichen Palast war zunächst viel zu schaffen[1] und zu richten, denn die jungen Leute hatten mit ihrem wilden Wesen[2] alles in Unordnung gebracht. Odysseus entwarf einen Plan, ließ sich durch seine Verwalter Bericht erstatten und ging ans Werk. Er ließ die große Halle mit neuen Marmorplatten belegen, um die letzte Erinnerung an den vergossenen Wein[3], aber auch an das vergossene Blut[4] zu tilgen. Die Keller und Vorratskammern waren zur Hälfte leer und mußten neu ausgestattet werden; die Ölmühle, früher ein Stolz der königlichen Wirtschaft, war jahrelang nicht mehr benutzt worden, und ihre Wiederherstellung erforderte Zeit und Mühe.

Hinter dem Haus hatten die Freier einen großen Blumengarten anlegen lassen, zu dessen Besorgung[5] ein syrischer Gärtner angestellt worden war. Dort wurden Narzissen und Nelken gezogen und jene hundertblättrigen Rosen, deren Zucht eben gelungen war. Mit diesen Blumen zierten die Freier ihre Festtafel und brachten große Sträuße der Königin, um deren Gunst sie warben. Penelope aber nahm diese Blumengaben gern entgegen und schmückte damit die Bronzevasen, die auf den Gesimsen[6] ihres Schlafzimmers standen.

Jetzt ließ Odysseus den Blumengarten abreißen und legte an seiner Stelle eine Kohlpflanzung an mit zementierten Bewässerungskanälen, wie er es in Ägypten gesehen hatte. Die Kohlrüben schlugen gut an[7] und gaben Viehfutter für einige Monate. Aber die Bronzevasen der Königin blieben von nun an leer.

Darauf hatte Odysseus sich während seiner langen Heimfahrt am meisten gefreut, wie er alle diese Abenteuer seiner Gattin erzählen würde und wie sie begierig an seinem Munde hängen würde[8], ihn mit Fragen unterbrechend.

Doch er mußte bald erkennen, daß sie keine so aufmerksame Zuhörerin war wie die Phäaken, die zwei Tage lang seinem melodischen Bericht gelauscht hatten.

Wenn er Penelope zu erzählen begann, arbeitete sie schweigend an den goldenen Mustern eines Tuches und blickte zerstreut[9] durch das Fenster; einmal, als er eine Frage stellte, mußte er erkennen, daß sie die Lästrygonen mit den Lotophagen verwechselte; und das schmerzte ihn, denn er hielt auf[10] die Genauigkeit seines Erlebnisses, das er um so mehr liebte, je ferner es wurde.

---

[1] *schaffen* arbeiten, leisten — [2] *mit ihrem wilden Wesen* mit ihrem wilden, schlechten Benehmen — [3] *der vergossene Wein* Wein, der verschüttet, danebengegossen wurde — [4] *das vergossene Blut* Blut, das durch Mord fließt — [5] *die Besorgung* hier: Bearbeitung, Pflege — [6] *das Gesims,* –e Mauervorsprung, meist als Verzierung — [7] *gut an'schlagen* hier: gut wachsen — [8] *an js Mund hängen* jm genau zuhören — [9] *zerstreut* unaufmerksam — [10] *auf et. halten* sorgfältig darauf achten, großen Wert darauf legen

Nur wenn er von der Nymphe Kalypso erzählte, schien sie aufmerksamer hinzuhören. Und diese Teilnahme reizte ihn[1], so daß er jenen Teil seiner Irrfahrt ausführlicher schilderte: die einsame Insel, den wunderbaren Hain[2], in dessen Bäumen die Seevögel nisteten, und die duftende Grotte der Göttin.

Wie lange bist du bei dieser Kalypso geblieben? fragte sie einmal. Sieben Jahre, antwortete er.

Sie beugte sich auf die Arbeit nieder, und ihre Augen wurden dunkel.

Solange Odysseus fort war, hatte jeden Abend zur Stunde des Lichteranzündens das Fest der Freier in der großen Halle begonnen. Und Penelope hörte dann bis in ihr fernes dunkelndes Zimmer den Lärm des Gelages[3], den Klang der Flöte und die frohen Stimmen der Männer, die ihr ergeben[4] waren.

Manchmal war sie verschleiert und heimlich auf die Galerie gegangen, die oben um die Halle lief, und hatte hinter einer Säule her die Männer betrachtet, die auf vergoldeten Sesseln saßen: den göttlichen Antinoos, dessen Augen waren wie die Nacht, den vornehmen, schon älteren Eurymachos und Menon, der noch ein Knabe war. Jetzt war die Flöte verstummt, und alles ging im Hause seinen ordentlichen Gang. Aber immer, wenn die Stunde des Lichteranzündens kam, wurde die Königin unruhig, und es schien, als fehlten ihr dieser Ton und diese fernen Stimmen, die jetzt alle gestorben waren. Und einmal konnte sie nicht widerstehen; sie warf den Schleier über wie damals und ging auf die Galerie und sah in den Saal hinunter. Da standen die vergoldeten Sessel in langen Reihen an der Wand, und jeder war mit einem Überzug aus grauer Leinwand gedeckt.

Und durch die Stille hörte sie von draußen die Stimme ihres Gemahls, der sagte: Eumaios, du darfst die Ferkel[5] nicht mehr in der Nacht draußen lassen; es fängt an, kühl zu werden. Einst, als bei Tisch einer jener runden Ziegenkäse aufgetragen wurde, die es auf allen Inseln des Mittelmeeres gibt, mußte Odysseus still vor sich hinlachen. Sie fragte ihn nicht, was er hätte, und so fing er von selbst an: Dieser Ziegenkäse erinnert mich an die Höhle des Polyphem. Er hatte davon viele Hunderte auf Brettern, die an den Steinwänden entlangliefen. Und als wir nun, meine treuen Gefährten und ich, in die Höhle eingedrungen waren, da sagte ich ...

Mein Freund, unterbrach sie ihn, du scheinst nicht zu wissen, daß du mir diese Geschichte schon viermal erzählt hast. Ich kenne sie nun; wie ihr den

---

[1] *jn reizen* hier: ärgern – [2] *der Hain, -e* kleiner Laubwald – [3] *das Gelage,* – Fest, bei dem viel gegessen und getrunken wird – [4] *jm ergeben sein* ihm treu sein, ihm dienen – [5] *das Ferkel,* – junges Schwein

armen alten Mann betrunken gemacht habt, wie ihr ihm – zehn gegen einen – sein einziges Auge geblendet[1] habt, das habe ich öfter gehört als mir angenehm war. Viel lieber möchte ich von dir erfahren, was du diese zehn Jahre bei Kalypso getrieben hast[2].

Sieben Jahre, antwortete er.

Gestern sagtest du zehn; du hast eben auf deinen Fahrten so viel lügen müssen, armer Freund, daß du auch jetzt die Wahrheit nicht mehr sagen kannst. Aber ob es nun zehn Jahre waren oder sieben, auf jeden Fall war es sehr lange, und du scheinst dich dort wohlgefühlt[3] zu haben; also antworte auf meine Frage: Was hast du diese lange Zeit getrieben?

Jetzt hätte er ihr antworten müssen: Weib, ich habe mich alle diese Jahre nach dir gesehnt; ich habe diese Jahre am Strande der fernen Insel gesessen, über das Meer geblickt und die Götter angefleht, daß ich nur noch einmal den Rauch deines Hauses sehen könnte. So hätte er antworten müssen. Aber als er sah, daß ihre Augen kalt und hart auf ihn gerichtet waren, verschwieg er es. Und nie hat sie von seinem großen Heimweh erfahren.

Ich habe dort Wein getrunken, antwortete er ruhig, der Wein jener Inseln ist gut, wenn auch etwas sauer.

Ein Jahr nach der Heimkehr des Odysseus starb sein Vater Laertes. Das war ihm ein schwerer Schlag[4], denn er liebte den Greis, der ihm ein Freund gewesen war in dem verödeten[5] Hause.

Auch war Laertes der einzige gewesen, dem Odysseus von seinen Abenteuern erzählen konnte. Und ein farbiges Erzählen des Erlebten und des Erfundenen war ihm Notwendigkeit. Die alte Schaffnerin Eurykleia aber war taub, und Telemach hatte andere Sorgen. Deshalb hatte Odysseus gern im Vorwerk[6] draußen bei Laertes gesessen und mit lebhaften Gebärden von Riesen und Prinzessinnen erzählt, wenn er auch bemerken konnte, daß der Greis, schon abgewandt und verklärt[7], kaum mehr hinhörte.

Als er tot war, setzte ihm Odysseus unten am Meeresstrand ein Grabmal in Form einer Pyramide aus geschliffenem Stein, an deren Eingang zwei bronzene Mädchen standen. Dort saß er viel allein, in sich zusammengesunken. Er war jetzt fünfzig Jahre alt, und das goldene Lockenhaar, das Göttinnen geliebt hatten, begann zu ergrauen.

---

[1] *jn blenden* blind machen – [2] *was hast du getrieben?* (fam.) was hast du (Schlechtes) getan? – [3] *ich fühle mich wohl* es geht mir gut – [4] *ein schwerer Schlag* (id.) ein seelischer Schmerz, hervorgerufen durch ein unerwartetes Ereignis – [5] *verödet* menschenleer – [6] *das Vorwerk, -e* kleiner Bauernhof, der zu einem großen Land-Besitz gehört – [7] *verklärt* hier: auf das Leben nach dem Tod gerichtet

Um diese Zeit verabschiedete sich Telemach von seinen Eltern. Das unruhige Blut des Vaters regte sich wohl in ihm, auch mochte ihm die unbehagliche Stimmung im Hause nicht gefallen, und so tat er sich mit phönizischen Schiffern zusammen[1], die auf der Fahrt in das östliche Meer die Insel angelaufen[2] waren.

Und vom Dach des Hauses, von wo man jenseits der bewaldeten Hügel das Meer liegen sehen konnte, blickte Odysseus dem Schiffe nach. Es war Windstille und tagelang lag das Schiff an derselben Stelle des Horizontes; dann, als die Meeresfläche sich vom frischen Winde dunkelte, spannte es leuchtende Segel auf und zog den Erlebnissen der Ferne zu.

Jahrelang hatte Odysseus eine kleine, blaue Meeresmuschel bei sich getragen, die von der Insel der Kalypso stammte. Dort hatte er wieder einmal am Strande gelegen und über die spritzenden Wellen der Brandung[3] hinweg sehnend in die Ferne gesehen. Dabei hatte seine Hand im Sande gespielt und die kleine Muschel gefaßt; seitdem trug er sie bei sich als Erinnerung an die Süßigkeit jener Stunden. Auch als er nach dem Sturm, der sein Floß zerschlug, tagelang auf dem Meere schwamm, war die Muschel bei ihm in seinem Gürtel gewesen.

Penelope bemerkte bald das kleine Ding, und wie lieb es ihm war. Woher hast du diese Muschel? fragte sie ihn.

Ich habe sie von der Insel der Kalypso.

Dann verstehe ich, daß sie dir so lieb ist.

Er beherrschte seine Ungeduld. Nein, sagte er, du verstehst nichts, du denkst alles falsch. Sie warf ihre Arbeit hin und ging zur Türe. Weib, rief er ihr nach, wollen wir uns nicht aussprechen[4]; soll der Dämon des Mißtrauens sich zwischen uns festsetzen? Aber sie machte schweigend die Tür hinter sich zu.

Abends vor dem Schlafengehen legte Odysseus die kleine Muschel auf das Gesims neben sein Bett. Und als er eines Morgens aufstand, war sie verschwunden. Er suchte überall, während Penelope ihm schweigend zusah, und als er sie nicht fand, rief er die ganze Dienerschaft zusammen und versprach dem, der ihm die Muschel brächte, eine Mine[5] Goldes.

Brauche ich noch andere Beweise, sagte Penelope, nun zeigt es sich, wie sehr du an allem hängst, was dich an die Dirne erinnert.

---

[1] *sich mit jm zusammen'tun* gemeinsam eine Sache unternehmen – [2] *ein Schiff läuft die Insel an* es landet auf der Insel – [3] *die Brandung* das bewegte Meer, das gegen die Küste schlägt – [4] *sich aus'sprechen* jm seine geheimen Gedanken anvertrauen – [5] *die Mine, –n* altgriechische Währungseinheit: 100 Drachmen

Da faßte ihn der Zorn. Sie ist keine Dirne; sie hat mir geholfen in den Jahren der Not; und ich werde ihr meinen Dank bewahren.

Dank, ich weiß wofür, sagte Penelope mit einem häßlichen Lächeln.

Odysseus bemerkte, wie ungünstig sie in diesem Augenblick aussah, und wurde ruhig. Du kannst das nicht begreifen, sagte er, aber ich werde mir die Heiligkeit meines Leidens nicht besudeln[1] lassen.

Nun blieb er tagelang allein unten am Strande der See zwischen den Klippen. In seinen Beziehungen zum Meere hatte sich eine merkwürdige Veränderung vollzogen. Zuerst, nach seiner Heimkehr, hatte er das Gewässer nicht sehen wollen, in dem er so viel erduldet; damals pflegte er zu sagen[2], glücklich seiest du nur dort, wo die Leute das Ruder, das du über der Schulter trägst, für einen Spaten halten. Jetzt liebte er das Meer wieder und saß in den Steinen und lauschte auf das große Tönen der Brandung, bei dem ihm schmerzlich süß ein Gefühl der Kameradschaftlichkeit aufstieg.

Und da mußte er denken: Wie hat sich doch alles gewendet; dort auf der Insel sehnte ich mich nach der Heimat; und nun ich die Heimat habe, sitze ich in der Wüste des Strandes zwischen den angeschwemmten[3] Brettern der Flut und habe Heimweh nach der Heimatlosigkeit.

Aber in fabelhaftem Glanze leuchteten in seinem Innern all die Abenteuer der zwanzig Jahre auf. Und während das erlöschende Auge den Horizont suchte, flüsterten, nur für ihn selbst, seine Lippen unaufhörlich den unsterblichen Bericht: von dem Kampf der Könige, von der nächtlichen Schiffahrt durch die Meerenge und von den Inseln der Nymphen.

* * *

Heinrich Böll

Wie in schlechten Romanen

Für den Abend hatten wir die Zumpens eingeladen; nette Leute, deren Bekanntschaft ich meinem Schwiegervater verdanke; seit unserer Hochzeit, seit einem Jahr, bemüht er sich, mich mit Leuten bekannt zu machen, die mir geschäftlich nützen können, und Zumpen kann mir nützen: er ist Chef einer Kommission, die Aufträge bei großen Siedlungen vergibt, und ich habe in ein Ausschachtungsunternehmen[4] eingeheiratet.

---

[1] *et. besudeln* beschmutzen; – [2] *zu tun pflegen* die Gewohnheit haben, etwas zu tun – [3] *an'schwemmen* die Wellenbewegung des Wassers trägt etwas ans Ufer – [4] *das Ausschachtungsunternehmen* Firma, die Erdarbeiten (Ausgraben des Grundes für das Fundament eines Hauses) durchführt

Ich war nervös an diesem Abend, aber Bertha, meine Frau, beruhigte mich. »Die Tatsache, daß er überhaupt kommt«, sagte sie, »daß er die Einladung angenommen hat, bedeutet schon etwas. Versuche nur, das Gespräch vorsichtig auf den Auftrag zu bringen. Du weißt, daß morgen der Zuschlag erteilt wird[1].

Ich hatte den Flur dunkel gelassen, stand hinter der Haustürgardine und wartete auf Zumpens. Ich rauchte, ließ die Zigarettenstummel auf die Fliesen fallen, zertrat sie und schob die Fußmatte über die zertretenen Stummel. Wenig später machte ich Licht im Flur, stellte mich hinter das Badezimmerfenster und dachte darüber nach, warum Zumpen die Einladung wohl angenommen hatte; es konnte ihm nicht viel daran liegen, mit uns zu Abend zu essen, und die Tatsache, daß der Zuschlag für die große Ausschreibung[2], an der ich mich beteiligt hatte, morgen erteilt werden sollte, hätte ihm die Sache so peinlich machen müssen, wie sie mir war: aber den Termin hatte mein Schwiegervater festgemacht, und ich hatte nichts machen können.

Ich dachte auch an den Auftrag: es war ein großer Auftrag, und ich würde zwanzigtausend Mark daran verdienen, und ich wollte den Auftrag gerne haben, weil ich das Geld haben wollte.

Bertha hatte meinen Anzug ausgewählt: dunklen Rock, eine etwas hellere Hose und die Krawattenfarbe neutral – so nennt sie es: ein helles, ins Rötliche spielendes Braun. Solche Dinge hat sie zu Hause gelernt und im Pensionat[3] bei den Nonnen. Auch, wann man den Gästen den Kognak anbietet, wann Wermut – wie man den Nachtisch assortiert[4], das alles hat sie zu Hause und im Pensionat bei den Nonnen gelernt, und es ist wohltuend, eine Frau zu haben, die solche Sachen genau weiß.

Aber auch Bertha war nervös: als sie ins Badezimmer kam und mir ihre Hände auf die Schultern legte, berührten ihre Daumen meinen Hals, ich spürte, daß die Daumen kalt und feucht waren. »Es wird schon gut gehen«, sagte sie, »du wirst den Auftrag bekommen.«

»Mein Gott«, sagte ich, »es geht für mich um zwanzigtausend Mark.«

»Man soll«, sagte sie leise, »den Namen Gottes nie im Zusammenhang mit Geld nennen.«

Ein dunkles Auto hielt vor unserem Haus, ein Fabrikat, das mir unbekannt war, aber italienisch aussah: die römische Wölfin in Silber vorne auf dem Kühler.

---

[1] *den Zuschlag erteilen* ein geschäftliches Angebot unter anderen auswählen und den Auftrag vergeben – [2] *die Ausschreibung, -en* geschäftlicher Wettbewerb – [3] *das Pensionat, -e* Erziehungsheim für junge Mädchen – [4] *assortieren* auswählen, zusammenstellen

»Langsam«, flüsterte Bertha, »langsam, warte, bis sie geklingelt haben, laß sie zwei oder drei Sekunden stehen, dann gehe langsam zur Tür und öffne.«

Sie tätschelte[1] meinen Hals und ging in die Küche. Ich sah die Zumpens die Treppe heraufkommen: er ist schlank und groß, hat ergraute Schläfen, einer von der Sorte, die man vor dreißig Jahren Schwerenöter[2] nannte und vor denen besorgte Mütter ihre Töchter vergeblich warnten; Frau Zumpen ist eine von den mageren dunklen Frauen, bei deren Anblick ich immer an Zitronen denken muß. Zumpen kam als erster die Treppe herauf, und ich sah seinem Gesicht an, daß es furchtbar langweilig für ihn war, mit uns zu essen. Warum mag er dann gekommen sein? dachte ich.

Er blieb vor der Haustür stehen, warf seinen Zigarettenstummel in den Vorgarten und sagte: »Wir haben bescheidener angefangen, nicht wahr?« – »Ja«, sagte sie, »du hast recht.« Dann klingelte es, ich wartete eine, wartete zwei Sekunden, ging zur Tür und öffnete.

»Ach«, sagte ich, »es ist wirklich nett, daß Sie zu uns gekommen sind.«

Wir gingen mit den Kognakgläsern in der Hand durch unsere Wohnung, die Zumpens gerne sehen wollten. Bertha blieb in der Küche, um Mayonnaise aus einer Tube auf die Appetithappen[3] zu drücken; sie macht das nett: herzförmige Muster, Mäander, kleine Häuschen, Schuhe, die einen an Aschenputtels Pantoffel[4] denken lassen.

Den Zumpens gefiel unsere Wohnung; sie lächelten sich an, als sie in meinem Arbeitszimmer den großen Schreibtisch sahen, und auch mir kam er in diesem Augenblick ein wenig zu groß vor; ich wurde rot, und Frau Zumpen sagte lächelnd: »Sieh an, Sie können noch erröten.«

Zumpen lobte einen kleinen Rokokoschrank, den ich von Großmutter zur Hochzeit bekommen hatte, und eine Barockmadonna[5] in unserem Schlafzimmer.

Als wir ins Eßzimmer zurückkamen, hatte Bertha serviert; auch das hatte sie nett gemacht, es sah alles so freundlich aus, und es wurde ein gemütliches Essen.

Wir sprachen über Filme und Bücher, über die letzten Wahlen; Zumpen lobte die verschiedenen Käsesorten, die es zum Nachtisch gab, und Frau Zumpen lobte den Kaffee und die Törtchen. Dann zeigten wir Zumpens die Pho-

---

[1] *tätscheln* zärtlich klopfen – [2] *der Schwerenöter,* - Lebemann – [3] *der Appetithappen,* - kleines Sandwich – [4] *das Aschenputtel* deutsche Märchenfigur: ein armes Mädchen, das heimlich in den Königspalast tanzen geht, dort seinen Pantoffel verliert und damit sein Glück macht – [5] *die Barockmadonna, -en* hölzerne Statue der Mutter Gottes im Barockstil

tos von unserer Hochzeitsreise: Bilder von der bretonischen Küste, spanische Esel und Straßenbilder aus Casablanca.

Wir tranken jetzt wieder Kognak, und als ich aufstehen und den Karton[1] mit den Photos aus unserer Verlobungszeit holen wollte, gab mir Bertha ein Zeichen, und ich blieb sitzen und holte den Karton nicht. Es wurde für zwei Minuten ganz still, weil wir keinen Gesprächsstoff mehr hatten, und wir saßen da und dachten alle an den Auftrag; ich dachte an die zwanzigtausend Mark und es fiel mir ein, daß ich die ganze Flasche Kognak von der Steuer abschreiben[2] konnte, daß die Flasche aber nur halb geleert war. Ich wurde wieder rot. Zumpen blickte auf die Uhr, sagte: »Schade; es ist zehn; wir müssen weg; es war ein so netter Abend«, und Frau Zumpen stand auf und sagte: »Reizend war es, und ich hoffe, wir werden Sie einmal bei uns sehen.«

»Gern würden wir kommen«, sagte Bertha, und sie gab mir wieder ein Zeichen; wir standen noch eine halbe Minute herum, dachten wieder alle an den Auftrag, und ich spürte, daß Zumpen darauf wartete, daß ich ihn beiseite nehmen und mit ihm darüber sprechen würde. Aber ich tat es nicht. Zumpen küßte Bertha die Hand, und ich ging voran, öffnete die Türen, hielt unten Frau Zumpen den Schlag[3] auf und streichelte, als ich zurücktrat, schnell über die römische Wölfin: sie war kühl und ein wenig feucht vom Tau, und unten an den Zitzen[4] hingen richtige kleine Tropfen, doch Romulus und Remus waren nicht da, sie aufzusaugen.

Bertha stand an der Haustür, als ich zurückkam; es war ein warmer heller Abend; ich rauchte meine Zigarette zu Ende und schnippte[5] den Rest in den Vorgarten. »Warum«, sagte Bertha sanft, »warum hast du nicht über den Auftrag mit ihm gesprochen. Du weißt doch, daß morgen der Zuschlag erteilt wird.«

»Mein Gott«, sagte ich, »ich wußte nicht, wie ich die Rede hätte darauf bringen sollen.«

»Bitte«, sagte sie sanft, »sprich doch den Namen Gottes nicht im Zusammenhang mit Geschäften aus. Du hättest ihn unter irgendeinem Vorwand in dein Arbeitszimmer bitten, dort mit ihm sprechen müssen. Du hast doch bemerkt, wie sehr er sich für Kunst interessiert. Du hättest sagen sollen: ich habe da noch ein Brustkreuz aus dem achtzehnten Jahrhundert, vielleicht würde es Sie interessieren, das zu sehen, und dann . . .«

---

[1] *der Karton, -s* Schachtel – [2] *einen Geldbetrag von der Steuer ab'schreiben* ein Betrag, der nach dem Gesetz nicht versteuert werden muß – [3] *der Schlag* hier: die Tür des Autos – [4] *die Zitze, -n* Brust des Muttertiers zum Säugen der Jungen – [5] *schnippen* mit einer leichten Bewegung fortwerfen

»Ja, ja«, sagte ich, »ich weiß, aber vielleicht eigne ich mich nicht für solche Sachen.«

Ich schwieg; sie seufzte und band sich die Schürze um. Ich folgte ihr in die Küche; wir sortierten die restlichen Appetithappen in den Eisschrank, und ich kroch auf dem Boden herum, um den Verschluß für die Mayonnaisetube zu suchen. Dann schraubte ich den Verschluß auf die Tube, drückte den Inhalt der Tube nach vorne glatt; immer läßt Bertha die Tuben so liegen, wie sie sie ausgedrückt hat: Zahnpasta, Hautcreme, Schuhcreme, offenbar ist weder denen zu Hause noch den Nonnen gelungen, ihr beizubringen[1], daß man Tuben nachdrücken muß. Ich brachte den Rest des Kognaks weg, zählte die Zigarren: Zumpen hatte nur eine geraucht; ich räumte die Aschenbecher leer, aß stehend ein Törtchen und sah nach, ob noch Kaffee in der Kanne war, aber die Kanne war leer. Als ich in die Küche zurückkam, stand Bertha mit dem Autoschlüssel in der Hand da.

»Was ist denn los?« fragte ich.

»Natürlich müssen wir hin«, sagte sie. – »Wohin?«

»Zu Zumpens«, sagte sie, »was denkst du dir.« –

»Es ist gleich halb elf.«

»Und wenn es Mitternacht wäre«, sagte Bertha, »soviel ich weiß, geht es um zwanzigtausend Mark. Glaub nicht, daß die so zimperlich[2] sind.«

Sie ging ins Badezimmer, um sich zurechtzumachen, und ich stand hinter ihr und blickte ihr zu, wie sie den Mund abwischte, die Linien neu zog, und zum erstenmal fiel es mir auf, wie breit und einfältig dieser Mund ist. Als sie mir den Krawattenknoten festzog, hätte ich sie küssen können, wie ich es früher immer getan hatte, wenn sie mir die Krawatte band, aber ich küßte sie nicht. Wir schwiegen, als wir zur Garage gingen.

In der Stadt waren die Cafés und die Restaurants hell erleuchtet, Leute saßen draußen auf den Terrassen, und in silbernen Eisbechern und Flaschenkühlern fing sich das Laternenlicht[3]. Wenn wir an einer Kreuzung halten mußten, blickte Bertha mich ermunternd an. Sie blieb im Auto, als wir an Zumpens Haus hielten, und ich fuhr allein im Aufzug nach oben, drückte sofort auf die Klingel und war erstaunt, wie schnell die Tür geöffnet wurde. Frau Zumpen lächelte und schien nicht erstaunt, mich zu sehen; sie trug einen schwarzen Hausanzug mit lose flatternden Hosenbeinen, und mehr als je zuvor mußte ich an Zitronen denken. – »Entschuldigen Sie«, sagte ich, »ich möchte Ihren Mann sprechen.«

---

[1] *jm et. bei*bringen* jn et. lehren, zu et. erziehen – [2] *zimperlich* empfindlich – [3] *das Licht fängt sich* (metaph.) es reflektiert

»Er ist noch ausgegangen«, sagte sie, »er wird in einer halben Stunde zurück sein.«

»Vielleicht wird es dann zu spät sein, ihn noch zu stören.«

»Oh, nein«, sagte sie, »kommen Sie getrost; wir gehen immer spät zu Bett.«

Im Flur sah ich viele Madonnen, sicher fünf oder sechs, gotische und barocke, auch Rokoko-Madonnen, wenn es die überhaupt gibt. »Schön«, sagte ich, »wenn Sie erlauben, komme ich in einer halben Stunde zurück.«

Sie lächelte, schloß die Tür vorsichtig, und ich fuhr im Aufzug wieder nach unten. Bertha hatte sich eine Abendzeitung gekauft: sie las darin, rauchte, und als ich mich neben sie setzte, sagte sie: »Ich glaube, du hättest auch mit ihr darüber sprechen können.«

»Woher weißt du denn, daß er nicht da war?«

»Weil ich weiß, daß er im Gaffel-Club sitzt und Schach spielt, wie jeden Mittwoch.«

»Das hättest du mir früher sagen können.«

»Versteh mich doch«, sagte Bertha und faltete die Abendzeitung zusammen. »Ich möchte dir doch helfen, daß du es von dir aus lernst, solche Sachen zu erledigen. Wir hätten nur Vater anzurufen brauchen, und er hätte mit einem einzigen Telefongespräch die Sache für dich erledigt, aber ich will doch, daß du, du allein den Auftrag bekommst. Ich möchte nicht, daß Vater meint, wir brauchten ihn dauernd.«

»Schön«, sagte ich, »was machen wir also: warten wir die halbe Stunde oder gehen wir gleich rauf und reden wir mit ihr? – »Am besten gehen wir gleich rauf«, sagte Bertha. Sie legte die Abendzeitung neben sich auf den Sitz, wir stiegen aus und fuhren zusammen im Aufzug nach oben. »Das Leben«, sagte Bertha, als wir im Aufzug nebeneinanderstanden, »besteht daraus, Kompromisse zu schließen[1] und Konzessionen zu machen[2].« Ich schwieg und zählte die Stockwerke: eins, zwei, drei, vier: immer gab das viereckige Fenster des Aufzugs den Blick auf sanftgrün getönte Wände frei und auf ein Stück roten Treppengeländers; es schien immer dasselbe Stück zu sein.

Frau Zumpen war genausowenig erstaunt wie eben, als ich allein gekommen war. Sie begrüßte uns, wir gingen hinter ihr her ins Arbeitszimmer ihres Mannes, und ich wurde wieder rot, als ich sah, wie klein Zumpens Schreibtisch war. Frau Zumpen schob Stühle hin, holte die Kognakflasche, schenkte ein, und noch bevor ich etwas von dem Auftrag hatte sagen können, schob sie

---

[1] *einen Kompromiß schließen* Nachgeben beider Parteien in einer Verhandlung oder Meinungsverschiedenheit – [2] *Konzessionen machen* Zugeständnisse machen

mir einen gelben Schnellhefter[1] zu, der auf dem Schreibtisch ihres Mannes gelegen hatte. »Siedlung Tannenidyll« las ich und blickte erschrocken auf Frau Zumpen, auf Bertha, aber beide lächelten und Frau Zumpen sagte: »Öffnen Sie die Mappe«, und ich öffnete sie; drinnen lag ein zweiter, ein rosenfarbener Schnellhefter, und ich las auf diesem: »Siedlung Tannenidyll, Ausschachtungsarbeiten«; ich öffnete auch diesen Deckel, sah meinen Kostenanschlag[2] als obersten liegen; oben an den Rand hatte jemand mit Rotstift geschrieben: »Billigstes Angebot«.

Ich spürte, wie ich vor Freude rot wurde, spürte mein Herz schlagen und dachte an die zwanzigtausend Mark.

»Mein Gott«, sagte ich leise und klappte den Aktendeckel zu, und diesmal vergaß Bertha, mich zu ermahnen.

»Prost[3]«, sagte Frau Zumpen lächelnd, »trinken wir also.« Wir hoben die Gläser, lächelten uns zu und tranken. Ich stand auf und sagte: »Es ist vielleicht plump[4], aber Sie verstehen vielleicht, daß ich jetzt nach Hause möchte.«

»Ich verstehe Sie gut«, sagte Frau Zumpen, »es ist nur noch eine Kleinigkeit zu erledigen.« Sie nahm die Mappe, blätterte sie durch und sagte: »Ihr Kubikmeterpreis liegt dreißig Pfennige unter dem Preis des Nächstbilligeren. Ich schlage vor, Sie setzen den Preis noch um fünfzehn Pfennige herauf: so bleiben Sie immer noch der Billigste und haben doch viertausendfünfhundert Mark mehr. Los, tun Sie's gleich.« Sie hielt mir die Mappe hin, ich nahm sie, und Bertha nahm ihren Füllfederhalter aus der Tasche, schraubte ihn auf und hielt ihn mir hin; aber ich war so aufgeregt, daß ich nicht schreiben konnte; ich gab die Mappe an Bertha und beobachtete sie, wie sie mit ruhiger Hand den Meterpreis umänderte, die Endsumme neu schrieb und die Mappe an Frau Zumpen zurückgab. »Und nun«, sagte Frau Zumpen, »nur noch eine Winzigkeit. Nehmen Sie Ihr Scheckbuch und schreiben Sie einen Scheck über dreitausend Mark aus, es muß ein Barscheck[5] sein und von Ihnen diskontiert[6].«

Sie hatte das zu mir gesagt, aber Bertha war es, die unser Scheckbuch aus ihrer Handtasche nahm und den Scheck ausschrieb. – »Er ist gar nicht gedeckt[7]«, sagte ich leise.

---

[1] *der Schnellhefter,* – Umschlag, um einzelne Blätter zusammenzuhalten – [2] *der Kostenanschlag,* ″–e vorläufige Berechnung für die Kosten eines Unternehmens, besonders von Bauten – [3] *prost, prosit* (lat.) ein Trinkspruch: zum Wohl! – [4] *plump* hier: ungeschickt – [5] *der Barscheck,* -s Scheck, der beim Einlösen auf der Bank in Geld ausgezahlt wird – [6] *ein gedeckter Scheck* der Gegenwert des Betrags liegt auf dem Bankkonto

»Wenn der Zuschlag erteilt wird, gibt es einen Vorschuß, und dann wird er gedeckt sein«, sagte Frau Zumpen.

Vielleicht habe ich das, als es geschah, gar nicht begriffen; als wir im Aufzug hinunterfuhren, sagte Bertha, daß sie glücklich sei, aber ich schwieg und blickte durch die Aufzugkabine: sanftgrüne Wände sah ich, und Stücke knallroter Treppengeländer.

Ich fischte[1] nach der Abendzeitung, die von Berthas Sitz gerutscht war, und las die Überschriften, während wir nach Hause zurückfuhren. Bertha wählte einen anderen Weg, wir fuhren durch stillere Viertel, Licht sah ich in offenen Fenstern, Menschen auf Balkonen sitzen und Wein trinken; es war eine helle und warme Nacht.

»Der Scheck war für Zumpen?« fragte ich nur einmal leise, und Bertha antwortete ebenso leise: »Natürlich.«

Ich legte die Abendzeitung vorne in den Handschuhkasten und blickte auf Berthas kleine, bräunliche Hände, mit denen sie sicher und ruhig steuerte. Hände, dachte ich, die Schecks unterschreiben und auf Mayonnaisetuben drücken, und ich blickte höher, auf ihren Mund und spürte auch jetzt keine Lust, ihn zu küssen.

An diesem Abend half ich Bertha nicht, den Wagen in die Garage zu setzen, ich half ihr auch nicht beim Abwaschen. Ich nahm einen großen Kognak, ging in mein Arbeitszimmer hinauf und setzte mich an den Schreibtisch, der viel zu groß für mich war. Ich dachte über etwas nach, stand dann auf, ging ins Schlafzimmer und blickte auf die Barockmadonna, aber auch dort fiel mir das, worüber ich nachdachte, nicht ein; ich suchte einen Vers, den ich irgendwo einmal gehört hatte, es konnte auch der Teil eines Gebets sein, aber ich war seit zehn Jahren nicht mehr in der Kirche gewesen und hatte nicht mehr gebetet. Ich ging in die Jahre zurück, so wie man, von der Pistole des Mörders bedroht, in seiner eigenen Wohnung von Zimmer zu Zimmer ausweicht.

Das Klingeln des Telefons unterbrach mein Nachdenken; ich nahm den Hörer auf und war nicht erstaunt, Zumpens Stimme zu hören. »Ihrer Frau«, sagte er, »ist ein kleiner Fehler unterlaufen[2]; sie hat den Meterpreis nicht um fünfzehn, sondern um fünfundzwanzig Pfennig erhöht.«

Ich überlegte einen Augenblick und sagte dann: »Das ist kein Fehler, das ist mit meinem Einverständnis geschehen.«

Er schwieg erst und sagte dann lachend: »Sie hatten also vorher die verschiedenen Möglichkeiten durchgesprochen?« – »Ja«, sagte ich.

---

[1] *fischen* (metaph.) greifen – [2] *es unterläuft mir ein Fehler* ich mache versehentlich einen Fehler

»Schön, dann schreiben Sie noch einen Scheck über tausend aus.«

»Fünfhundert«, sagte ich, und ich dachte: es ist wie in schlechten Romanen, genauso ist es.

»Achthundert«, sagte er, und ich sagte lachend: »Sechshundert«, und ich wußte, obwohl ich keine Erfahrung hatte, daß er jetzt siebenhundertfünfzig sagen würde, und als er es wirklich sagte, sagte ich ja und hängte ein.

Es war noch nicht Mitternacht, als ich die Treppe hinunterging und Zumpen den Scheck ans Auto brachte; er lachte, als ich ihm den zusammengefalteten Scheck hineinreichte.

Ich streichelte die Wölfin vorne auf dem Kühler; es hingen keine Tropfen mehr an ihren Zitzen, der warme Nachtwind hatte sie getrocknet, und als Zumpen weggefahren war und ich langsam ins Haus zurückging, war von Bertha noch nichts zu sehen; sie kam nicht, als ich mich ins Arbeitszimmer setzte, um weiter nachzudenken; sie kam nicht, als ich noch einmal hinunterging, um mir ein Törtchen und ein Glas Milch aus dem Eisschrank zu holen, und ich wußte, was sie dachte; sie dachte: ›Er muß darüber hinwegkommen[1], und ich muß ihn alleinlassen! Er muß das begreifen‹ – aber ich begriff das nie, und es war auch unbegreiflich.

* * *

Alfred Polgar

DER KAPITÄN

Der Kapitän des Dampfboots ›Adele II‹ ist ein alter Mann, bei siebzig etwa[2]. Vor langen Jahren war der Kapitän ein richtiger Kapitän auf einem richtigen Schiff der österreichischen Handelsmarine. Gleich zu Beginn von Weltkrieg I[3] fingen die Engländer sein Schiffchen und steckten ihn in ein Internierungslager[4]. Seither mochte er sie nicht leiden. Als er in die Heimat zurückkam, war vieles verschwunden, was er geliebt hatte; unter anderem die österreichischen Handelsmarine und das Meer. Dieses lag jetzt jenseits der Grenzen und der Möglichkeiten.

---

[1] *über eine Sache (A) hinweg'kommen* sie innerlich überwinden – [2] *bei siebzig etwa* ungefähr siebzig Jahre alt – [3] *Weltkrieg I* Eigenart des Autors, eigentlich: *erster Weltkrieg* – [4] *das Internierungslager,* - Lager, in dem Zivilpersonen festgehalten werden, die sich während eines Krieges im feindlichen Ausland befinden

Der Kapitän verwendete seine Ersparnisse zum Ankauf eines antiquarischen Autos[1] und wurde sein eigener Taxi-Chauffeur. Da hatte er doch wieder ein Ding, das fuhr, unter seinem Kommando. Gegen die innere Misere[2] des Seemanns auf dem Trockenen half das natürlich wenig. Über seine stolze Vergangenheit sprach er mit niemand als mit sich selbst: aus Sorge, sie könnte ihm durch irgend etwas Respektloses, das andere über sie sagen möchten[3], beschädigt werden. Die Kollegen vom Standplatz hielten ihn wegen seiner ungeselligen, schweigsamen Art für einen ziemlichen Narren[4]. Not, die keine Worte hat, macht innen hart und außen lächerlich.

Eines Sommertages kam der Kapitän mit seinem Taxi an den schwarzgrünen, tief im Tal versteckten Alpensee. In einem sumpfigen Winkel dort faulte und rostete ein kleiner Dampfer, der in verflossenen üppigeren Zeiten die Überfahrt von der Autobus-Haltestelle drüben zur Ortsküste hüben[5] (und umgekehrt) besorgt hatte. Der Kapitän verkaufte sein Taxi und verwendete den Erlös zum Erwerb des ausrangierten[6] Schwimm-Kastens[7] sowie dazu, ihn wieder diensttauglich zu machen. Er heuerte[8] auch die nötige Bemannung für sein Schiffchen. Sie besteht aus einem Mann, der den Kessel heizt und beim Landen einen Strick um den Uferpflock[9] wirft. ›Möwe‹ hatte das Dampfboot geheißen. Der Kapitän taufte es aus ganz privaten Gründen um[10] in ›Adele II‹.

Der Kapitän kassiert das Fahrgeld ein und hilft Gepäck an Bord und aufs Land schaffen. Er ist auch der Steuermann seines Fahrzeugs. Er steht auf der Kommandobrücke, die Fäuste ums Lenkrad, und ruft durch das Sprachrohr hinunter: »Vorwärts!« und »Langsam!« und »Stop!«

›Adele II‹ hat eine Flagge vorn und eine hinten, einen Anker, ein Rettungsboot und sogar eine Galionsfigur[11], einen hölzernen Triton[12] mit Dreizack[13]. Sie fährt unter Entwicklung dicken, schwarzen Rauchs und kann pfeifen, wenn auch ein bißchen kurzatmig. Was der Kapitän gern gehabt hat, ist wieder da: Adele, Schiffahrt, Kapitänschaft, nur alles ein wenig anders als frü-

---

[1] *antiquarisch* alt, gebraucht (nur von Büchern); ein antiquarisches Auto ist Eigenart des Autors – [2] *die Mise're* Elend (Ugs.) – [3] *das andere sagen möchten* das andere vielleicht sagen würden (österr.) – [4] *ein ziemlicher Narr* Mensch, der nicht wenig verrückt ist – [5] *hüben und drüben* auf beiden Seiten – [6] *aus'rangieren* aus dem Dienst nehmen (nur von Sachen) – [7] *der Schwimmkasten*, "- pejorativ für ›Dampfer‹ – [8] *jn heuern* (auch: anheuern) anstellen, in den Dienst nehmen (Seemannssprache) – [9] *der Pflock*, "-e Pfahl – [10] *jn um'taufen* jm einen anderen Namen geben (Personen, aber auch Gegenstände, die einen besonderen Namen haben, wie hier ›Adele II‹) – [11] *die Galionsfigur*, –en Figur am Vorderteil alter Schiffe, die vor Schaden bewahren und auch als Schmuck dienen soll – [12] *der Triton* Meeresgott – [13] *der Dreizack* Stab mit drei Spitzen, Attribut des Meeresgottes

her. Aber wenn die glückhaften Tage schon genügend weit weg sind und der alte Kopf schon Mühe hat, sie einzuholen, tut das Ganze nicht mehr gar so arg weh. Die dreißig Quadratkilometer Oberfläche des Süßwasser-Bassins, das der Kapitän jetzt befährt, blitzen in der Sonne genau so, als wären es tausend salzige Quadratmeilen, Sturmwetter stellt vor nautische Probleme, von Zeit zu Zeit ertrinkt auch jemand im See, Ruderboote weichen respektvoll[1] aus, kommt ›Adele II‹ daher, und wenn die Regenfäden sich zum dichten Netz verknüpfen, nimmt das Auge keine Küste wahr, und ins Unendliche läuft die bleifarbene Woge. Der Kapitän hat die schrumplige[2] Kappe mit den vergilbten Goldborten[3] fest auf die Glatze gedrückt. Der Ozean rauscht in dem kleinen See hinter dem Gespinst von Luft und Wasser[4]; hilft der Kapitän nur ein bißchen nach, wehen Ceylons Palmen.

So weit also war alles gut. Bis das Motorboot des englischen Sommergastes kam. Mit seiner Kielfeder[5] zog es scharfe Streifen über den See, strich ihn durch. Es verriet die Entfernungen als Nähen. Ein seidenes Phantasie-Fähnchen wimpelte[6] vom Bug, und der Mann am Steuer trug eine weiße Mütze mit glitzernder Doppel-Goldtresse[7].

›Lancelot‹ hieß das Boot. In koketten Schleifen schwärmte es um ›Adele II‹, flitzte[8] ihr mit leichtsinnigen Schnörkeln[9] durch die Fahrbahn.

Der Kapitän haßte das Motorboot und liebte es.

Eines Tages wurde ›Lancelot‹ auseinandergenommen und verpackt. »Wir haben es ausprobiert«, sagte der Besitzer, »und gehen nun ans Meer mit ihm.«

Seither macht dem Kapitän ›Adele II‹ keine Freude mehr. Er hat den Plan, sie frisch anzustreichen, fallen lassen[10]. Nur noch diese Saison will er den Dampfer selbst kommandieren, dann ihn verpachten und endgültig Landratte werden[11].

»Denn einmal stirbt die Sehnsucht doch«, wie Peter Altenberg dichtete[12].

---

[1] *respektvoll* achtungsvoll – [2] *schrumplig* alt und voll Falten – [3] *die Borte, -n* Band als Schmuck für Kleider und Uniformen – [4] *das Gespinst* (von: *spinnen, spann, gesponnen*) hier: metaph. zarter Stoff, gesponnen aus Luft und Wasser – [5] *die Kielfeder* der Dichter vergleicht den Federkiel (Vogelfeder zum Schreiben) mit dem Kiel des Bootes – [6] *wimpeln* freie Bildung des Autors von: *der Wimpel*, kleine Flagge; hier: flattern, schnell hin- und herwehen – [7] *die Tresse, -n* Borte, s. oben – [8] *flitzen* sehr schnell laufen oder fahren – [9] *der Schnörkel, -* eine Linie, die viele Windungen hat – [10] *einen Plan fallen lassen* ihn aufgeben – [11] *die Landratte, -n* (id.: im Gegensatz zur »Wasserratte«) Mensch, der nur auf dem Festland (nicht am Wasser) lebt – [12] *Peter Altenberg* Wiener Dichter (1859 bis 1919)

Paul Ernst

Die Fabrik

Vor den Toren einer deutschen Mittelstadt lag eine Fabrik, welche Nippes-
figuren[1] aus Metall herstellte: Schiller, Goethe, Kaiser Wilhelm[2], Bismarck[3], Hindenburg[4], Zwerge, Hunde, Pilze, Vögel, und sonst noch allerhand Gestalten. Die Fabrik hatte sich aus kleinen Anfängen entwickelt. In
den sechziger Jahren[5] hatte an dem Ort ein Zinngießer namens Maier gelebt. Damals verdrängte das Porzellangeschirr endgültig[6] das Zinn von
den Tischen und aus den Schränken; Maier war ein anstelliger[7] Mann, der
allerlei Geschicklichkeiten besaß, und er hatte auch den Scharfblick, um zu
sehen, daß die Zinngießerei keine Zukunft mehr hatte. Das Zink, welches die
Form verhältnismäßig gut ausfüllt, wurde billig in großen Mengen hergestellt; Maier machte die ersten Versuche, indem er ein Bild von Napoleon dem
Dritten[8] formte, welcher damals allgemein beliebt war, und in Zink abgoß.
Der Abguß erhielt einen Anstrich, so daß er aussah wie Bronze. Der Gegenstand – man nennt das »Artikel« – gefiel den Frauen, welche die Käuferin-
nen solcher Waren sind, die Herstellung war sehr einfach, so daß den Händ-
lern ein für die damaligen Zeiten hoher Gewinn zugebilligt[9] werden konnte,
und so kamen denn schnell Bestellungen über Bestellungen auf den Napoleon,
daß Maier schon nach einigen Wochen sich einen Arbeiter annehmen mußte,
nach Jahresfrist fünf Leute in Lohn hatte[10], und außer dem Napoleon noch
König Wilhelm goß und einen Storch, der ein Wickelkind brachte, nach zwei
Jahren ein kleines Fabrikgebäude baute, und als er Ende der achtziger Jahre
als Kommerzienrat[11] starb, ein Verzeichnis mit Bildern hatte herausgeben
können, welches über dreitausend Nummern enthielt, und einen Besitz hin-
terließ, der auf über eine Million geschätzt wurde. Der Sohn führte das Geschäft weiter und dehnte es aus, indem er vor allem einen Absatzmarkt in
Ostasien fand; man konnte auch hier wieder die Überlegenheit der deutschen
Industrie bewundern, welche sie durch die deutsche Wissenschaft hat. Für

---

[1] *die Nippesfigur, -en* (frz.) kleine Figur, die als Zimmerschmuck dient – [2] *Kaiser
Wilhelm II.* deutscher Kaiser und preußischer König, regierte von 1888–1918 –
[3] *Otto von Bismarck* Reichskanzler (Ministerpräsident) des deutschen Kaiserreiches
von 1871–1890 – [4] *Paul von Hindenburg* hoher Offizier, später Präsident des Deutschen Reiches von 1925–1934 – [5] *die sechziger Jahre* hier: 1860–1869 – [6] *endgültig*
für immer – [7] *anstellig* geschickt – [8] *Napoleon III.* französischer Kaiser (1852–70) –
[9] *zu'billigen* mit Recht geben – [10] *jn in Lohn haben* jm Arbeit geben und dafür Lohn
zahlen – [11] *der Kommerzienrat*, "-e Ehrentitel der Wohltäter der Öffentlichkeit

Ostasien wurden Götzenbilder gegossen; diese waren aber, natürlich soweit es das billige Material zuließ, treu nach alten Bronzen im Museum für Völkerkunde[1] in der Hauptstadt geformt und schlugen dadurch den englischen Wettbewerb völlig aus dem Felde[2], denn dieser arbeitete nach Mustern, welche in England selber hergestellt waren. Der Enkel hatte studiert, große Reisen gemacht, er war ein halbes Jahr lang in Indien und China gewesen, und als er nun nach dem Tode seines Vaters, des zweiten Besitzers, die Fabrik übernahm, zu Anfang des zweiten Jahrzehnts dieses Jahrhunderts, da erwartete jeder, und mit Recht, ein noch weiteres Aufblühen des Unternehmens, dessen lange und hohe Gebäude mit vielen rauchenden Schornsteinen nun stattlich dalagen, inmitten der schnurgeraden Straßen, welche inzwischen entstanden waren; deren vier- und fünfstöckige Häuser wimmelten von Menschen, welche zu einem großen Teil in der Fabrik ihr Brot fanden[3].

Der Gymnasialdirektor der Stadt war ein Witwer und lebte allein mit seiner einzigen Tochter, einem jungen und sehr schönen Mädchen. Anna, so hieß diese Tochter, leitete in Stille und mit Umsicht den kleinen Haushalt und half dem Vater bei seinen wissenschaftlichen Arbeiten; denn der alte Herr war Astronom; er besaß ein Teleskop, dessen Mangelhaftigkeit er oft beklagte und beobachtete mit ihm in klaren Nächten den Himmel; sein Name galt in der gelehrten Welt, wenn er auch nur sehr wenig veröffentlichte. Anna war eine gute Rechnerin und mußte ihm oft lange Berechnungen ausführen; aber auch bei den Beobachtungen gebrauchte er ihre jungen und scharfen Augen; und so geschah es oft, daß sie nachts bei ihm in dem Dachstübchen[4] saß, in dessen Fenster das Teleskop aufgestellt war.

Menschen, welche viel die Gestirne betrachten, erhalten ein eigenes Wesen; sie werden, was die bürgerlichen Leute »Idealisten« nennen; denn sehr schnell bekommen sie die Bedingtheit[5] alles dessen ins Gemüt, was den gewöhnlichen Menschen als unbedingt erscheint. Der Erdball selber ist ihnen ja nicht mehr als ein anderer Stern, den sie unendlich klein durch ihr Rohr[6] erblicken, von dem sie nichts wissen, als seine Bewegung im Weltenraum[7], und die bürgerlichen Geschäfte erscheinen im Gegensatz zu den ungeheuren Räumen und Zeiten, mit welchen sie rechnen, so klein, daß sie den Wertmaßstab der durchschnittlichen Menschen völlig verlieren. Man versteht, daß Anna

---

[1] *die Völkerkunde* Wissenschaft von der Kultur der Naturvölker – [2] *einen Gegner aus dem Felde schlagen* (id.) ihn völlig besiegen – [3] *sein Brot finden* Arbeit finden – [4] *das Dachstübchen,* - kleines Zimmer unter dem Hausdach – [5] *die Bedingtheit* Relativität – [6] *das Rohr, -e* hier: Fernrohr, Teleskop – [7] *der Welt(en)raum* Raum außerhalb der irdischen Atmosphäre

sich nicht in den Gesellschaften der jungen Mädchen zeigte, und bei den Tanz-
vergnügungen und Ausflügen, welche eingerichtet wurden.

Es erregte großes Aufsehen in der Stadt, als der Dr. Maier, der junge Herr
des großen Unternehmens, um Annas Hand anhielt[1]. Aber man sagte sich
freilich, daß ein so reicher Mann in der Wahl seiner Frau völlig frei war,
denn eine Absage hatte er von keinem Mädchen zu befürchten, und er
brauchte nicht auf Vermögen zu sehen.

Anna ging mit ihrem Vater zu Rat. Sie sagte ihm, daß sie am liebsten bei
ihm bleiben möchte; denn wohl habe sie sich schon gewünscht, einen Mann
und Kinder zu haben, wie sich das ja jedes Mädchen wünscht, aber dann habe
sie wieder an die gemeinsame Arbeit gedacht und an die tiefe Ruhe des Ge-
müts, welche die ihr verschaffe; denn so wenig sie zwischen Menschen komme,
habe sie doch gesehen, daß alle Leute, welche sich in dem bewegen, was man
Leben nennt, unruhig, zerfahren[2], zerrissen, gedankenlos und ziellos sind.
Sie habe auch besondere Bedenken wegen des großen Reichtums des Bewer-
bers. Sie habe sich solchen ja nie gewünscht, er bedrücke sie, und sie fürchte,
daß er sie belästigen werde; und so würde ihr viel lieber gewesen sein, wenn
sich ein Bewerber gefunden hätte etwa in den Verhältnissen[3] des Vaters.

Der Vater erwiderte, es sei ihm lieb, daß sie so ruhig überlege; er habe mit
Absicht sie früh in die Kunde der Gestirne eingeführt, um sie von der gewöhnlichen menschlichen Albernheit fernzuhalten, welche eine zufällige Emp-
findung zum Herrn der Handlungen macht. Den Reichtum solle man nicht
allzu schwer nehmen[4]; wenn man ihn verständig anwende, so könne man ja
auch viele Vorteile von ihm haben.

Nachdem der alte Mann diese Sätze mit ruhiger Stimme gesagt hatte, ergriff er die Hand seiner Tochter, drückte sie und fuhr fort: »Ich danke dir besonders, daß du nicht die Lügen vorgebracht[5] hast, welche die Menschen sich
ja selber machen, daß du mich nicht verlassen könntest und dergleichen[6]. Ich
bin im Absteigen und du bist im Aufsteigen. Es handelt sich darum, was für
dich richtig ist.«

»Das weiß ich, Vater«, erwiderte Anna und küßte ihn auf die Stirn; und
was die beiden nicht sagten, das fühlten sie, daß sie sich liebten.

Anna nahm die Bewerbung an; die Ehe wurde ohne lange Verlobungszeit
geschlossen.

---

[1] *um die Hand eines Mädchens an'halten* ihre Eltern um die Einwilligung zur
Heirat bitten – [2] *zerfahren* zerstreut, unkonzentriert – [3] *die Verhältnisse* (Pl.)
finanzielle Lage – [4] *et. schwer nehmen* es als Problem empfinden – [5] *et. vor'bringen* einen Grund für et. angeben, von et. sprechen – [6] *dergleichen* ähnliches

Als das junge Paar von der Hochzeitsreise zurückkam, erwartete der Vater sie am Bahnhof. Er schloß Anna in seine Arme und sah ihr ins Gesicht; es war ruhig und freundlich, wie immer. Sie sagte lächelnd zu ihm: »Du bist besorgt? Ich bin ja wohl durch dich verwöhnt. Aber er ist ein tüchtiger Mann; er denkt immer an seine Arbeit, und die Arbeit des Industriellen ist ja auch für die Menschen ebenso nötig wie die des Gelehrten.«

Am andern Morgen zeigte der junge Gatte seiner Frau die Fabrik. Sie hatte noch nie etwas von den Waren gesehen, die hier hergestellt wurden; so sehr sie sich auch zwang, sie wurde aufs tiefste verstimmt, als sie diese Abscheulichkeiten erblickte. Ihr Mann bemerkte es und lachte. »Es ist der Geschmack meines Großvaters, der hier herrscht«, sagte er; »ich selber will mich ja nicht mit deinem Gefühl für Kunst messen[1] aber daß ich dieses Zeug auch nicht schön finde, das wirst du mir gewiß glauben.« Sie sah ihn entsetzt an, er küßte sie auf die Stirn. Dann fuhr er fort: Kein Mensch ist frei. Nur etwas höher müßte der Geschmack dieser Waren stehen, dann kaufte sie niemand. Mein Großvater hat das Richtige getroffen, weil er selber der Stufe der Leute angehörte, welche diese Dinge kaufen.«

Sie schwieg; er fuhr fort mit geläufiger Rede, indem er ihr Maschinen erklärte, über die Arbeiter erzählte; sie fühlte sich von feindseligen[2] Blicken der Leute getroffen; er sprach davon, daß er Land angekauft habe, um jedem seiner Arbeiter ein Stück Garten zu geben; nur zehn Hundertteile[3] der Leute hatten Gebrauch von seinem Anerbieten gemacht; er zuckte die Achseln und fuhr fort, daß man seine Vorstellungen von den Menschen bald herabmindere[4].

In einem Saal waren die Leute zusammengelaufen und standen gedrängt an einer Seite. Der Herr trat schnell näher, der Knäuel[5] löste sich; Anna sah, wie ein Ohnmächtiger auf der Erde lag und von einem andern Mann gehalten wurde. Ein Mann, wohl ein Meister, kam zu ihr, begrüßte sie und sagte, ihr Gatte habe ihn geschickt, um sie hinauszubegleiten, er könne sich ihr jetzt nicht widmen[6].

Sie ging mit dem Mann die Treppe nieder; da das Schweigen drückend wurde, so fragte sie, was geschehen sei. Der Meister erzählte, ein Arbeiter in der Bleikammer[7] sei erkrankt. Die Arbeit in der Bleikammer sei ungesund,

---

[1] *sich mit jm messen (maß, gemessen)* vergleichen in Bezug auf Eigenschaften und Vorzüge – [2] *feindselig* feindlich – [3] *der Hundertteil, -e* Prozent – [4] *herab'mindern* heruntersetzen, schlechter machen – [5] *der* (auch *das*) *Knäuel,* – aufgewickeltes Garn, hier: viele Leute, die dicht zusammenstehen – [6] *sich einer Person widmen* sich um sie kümmern – [7] *die Bleikammer, -n* Raum, dessen Wände mit Blei belegt sind und in dem Schwefelsäure hergestellt wird

wenn einer ein halbes Jahr in dem Bleidunst gewesen sei, dann bekomme er eine Vergiftung; er könne ja wohl vielleicht wieder geheilt werden, aber ganz gesund werde er nie wieder. »Manche sterben?« fragte mechanisch Anna. »Jawohl, die meisten sterben«, erwiderte der Meister. »Finden sich doch immer wieder welche«, fuhr er fort. »In der Bleikammer wird ein schöner Lohn verdient. Mich brächte ja keiner hinein, ich denke an meine Familie. Aber das sagt sich eben nicht jeder.«

Anna wollte noch fragen, wie viele Leute so im Jahre sterben; aber sie brachte die Frage nicht über die Lippen. Sie war mit dem Mann vor dem Wohnhaus angekommen, dankte ihm und reichte ihm die weißbehandschuhte Rechte[1].

Als der Mann ging, machte sie eine entschlossene Wendung. Sie stieg nicht die Stufen zum Haus hinauf, sondern ging an die Gartentür, und schritt mit schnellen Schritten auf dem Weg der Stadt zu. Sie kam zu dem Hause ihres Vaters und bat ihn, daß er sie wieder zu sich nehme.

Der alte Mann hörte ihre Erzählung an, dann sagte er: »Wenn du ein Kind bekommen solltest, so würdest du das natürlich behalten wollen. Ich werde gleich zum Rechtsanwalt gehen und mit ihm alles besprechen. Du weißt, wir haben ein kleines Vermögen. Wir sparen jetzt auch noch jedes Jahr, solange ich lebe. Du kannst also ruhig in deine Zukunft blicken.«

* * *

Roda Roda

DIE VERSICHERUNG

Kaum hatte ich die Villa in Galatz gekauft, im Mai, da rannten mir die Agenten der »Olympia« die Türen ein: ich sollte mich doch versichern.

Lange wehrte ich mich. Endlich mußte ich klein beigeben[2] – wie folgt: die Tante gegen Unfall; die Villa gegen Hagel; die Möbel gegen Brand. Aber ich habe mit der »Olympia« im ganzen wenig angenehme Erfahrungen gemacht.

Was soll ich Ihnen sagen – am 13. Juni, einem Freitag, schlägt der Blitz bei uns ein; schlägt die Tante tot, vernichtet einen Regenschirm, und das Klavier fing an zu brennen.

---

[1] *die weißbehandschuhte Rechte* die rechte Hand, die einen weißen Handschuh trägt – [2] *klein bei'geben (id.)* nachgeben

Gut, sagte ich mir – wo die Tante tot ist – ich selbst bin nicht musi-kalisch – laß es brennen: Unterdessen sah ich die Police[1] durch, hinten die gedruckten Statuten[2], und fand da einen Paragraph 19: ich müßte den Schaden sofort anmelden.

Schaden anmelden kann ich doch erst, wenn ich weiß, wie weit das Klavier verbrennen wird. – Es erlosch von selbst, nachdem die rechte Hälfte, unge-fähr bis fis[3], verzehrt war.

Am selben Tag noch, mit Windeseile, kam Herr Ghizu, Generaldirektor der Olympia-Provinz, und fragte:

»Also, was ist los?«

Schon diese barsche Einleitung ließ nichts Gutes ahnen.

Ich führte ihn zum Klavier und wies stumm darauf. Stumm zeigte ich ihm auf dem Sofa die Tante.

Er betrachtete sie und sprach mißbilligend:

»Na, die war auch nicht mehr die Jüngste. – Sonst noch etwas?«

»Ja«, antwortete ich und zeigte ihm die traurigen Reste meines Regen-schirms.

»Der ganze Vorgang«, sagte der Direktor, »ist sehr verdächtig, um nicht zu sagen: kurios. Wie soll sich denn das abgespielt haben?«[4]

»Oh, es ist rasend rasch gekommen, gegen drei. Wir sitzen gemütlich . . .«

»Am offenen Fenster?«

»Ja.«

»Am of-fe-nen Fen-ster«, wiederholte der Direktor und notierte sich's in sein Taschenbuch.

»Wir sitzen so – die Tante am Klavier – ich hier auf dem Stuhl – drau-ßen gewitterte es ein wenig. Die Tante spielt ganz sachte[5] die ›Eroica‹[6] und fragt mich so zwischendurch über die Schulter weg: ›Ißt du eigentlich gern Gänseschmalz?‹ – Das waren ihre letzten Worte. Urplötzlich ein furchtbarer Donnerschlag – mir war blau vor den Augen – und als ich aufblicke, brennt das Klavier.«

»Mehr als kurios«, grollte der Direktor, schüttelte sein Haupt und sah mich flammend an. »Der Fall muß vom Gericht untersucht werden.«

»Herr!« sprach ich. »Wieso? Meinen Sie, ich selbst habe die Tante ange-zündet?«

---

[1] *die Police, -n* Versicherungsdokument – [2] *das Statut, -en* rechtliche Bestim-mung – [3] *fis* fa – [4] *sich ab'spielen* geschehen – [5] *sachte* leise, vorsichtig – [6] *die Eroica* 3. Symphonie von Beethoven

Ohne zu erwidern, trat er an das Klavier und schlug der Reihe nach die Tasten an.

»Die tiefen Töne gehen noch«, sagte er.

Ich darauf – nun aber schon gereizt:

»Na, Sie scheinen von Musik blutwenig zu verstehen. Die tiefen Töne bedeuten für sich allein gar nichts, das ist doch nur die Begleitung. Wo soll denn die jauchzende Freude herkommen, die unsre Herzen beim Klang eines Liedes erfüllt – wenn die ganze rechte Hälfte des Klaviers, die fröhliche, kaputt ist?«

»Mein lieber Herr Roda, ich bin zwar kein Kapellmeister und kein Komponist – aber soviel weiß ich: wirklich ernste, getragene[1] Musik wird hier links gemacht, mittels der tiefen Tasten. Der Blitz aber hat die Richtung nach rechts genommen. Ihre Tante hat offenbar einen Gassenhauer[2] lasziven[3] Charakters gespielt. Am offenen Fenster, bitte. Bei Gewitter. Hatten *Sie* das Fenster geöffnet?«

»Nein.«

»Wer sonst? Das muß sich doch feststellen lassen. Und was mich stutzig macht[4], Herr Roda: der Schirm. Woher haben Sie ihn? Ein Schirm fällt doch nicht vom Himmel. Zeigen Sie mir die quittierte Rechnung, wenn Sie behaupten, ihn gekauft zu haben, wo man im Kaffeehaus so viel von geklauten[5] Schirmen hört. Hat übrigens die Tante unterm Regenschirm gespielt? – Das Fenster offenhalten – mein Herr, das lockt den Blitz an. Was meinen Sie, wie oft den Sommer über in Rumänien der Blitz einschlägt? Wenn unsere Gesellschaft jedesmal einen Schirm zu bezahlen hätte – wo käme die Gesellschaft hin? – Wie hoch bewerten Sie denn die Tante?«

»Die Police lautet auf 10 000 Goldfrank.«

»Hahaha! Die alte Dame – 10 000 Frank! Da muß ich wiehernd[6] lachen. Sie hat doch nichts verdient, die Tante, ist der Familie nur zur Last gefallen[7]. Sie, Sie sollten uns was zahlen, Herr! Und die Dame – traurig, daß sie sich in ihrem Alter nicht schämt, aus Sensationslust im Gewitter unanständige Lieder zu spielen – noch dazu unterm offenen Regenschirm. – Nein, nein, mein Lieber, lesen Sie unsere Statuten, Paragraph 31a: »Die Gesellschaft ist berechtigt, den Verlust in natura[8] gutzumachen, indem sie einen dem beschädigten Gegenstand gleichwertigen Ersatz beistellt.« Zufällig haben

---

[1] *getragen* (metaph.) majestätisch, langsam – [2] *der Gassenhauer,* - sehr populärer Schlager – [3] *lasziv* unanständig – [4] *es macht mich stutzig* (id.) es macht mich mißtrauisch – [5] *klauen* (fam.) stehlen – [6] *wiehern* Schreien von Pferden – [7] *jm zur Last fallen* hier: von jm finanziell abhängig sein – [8] *in natura* (lat.) Material statt Geld

wir eben aus einem Brandfall in Bukarest eine Dame dieses Alters übrig –
die können Sie haben. Wir lassen Ihnen das Klavier auf unsere Kosten neu
lackieren und bespannen[1] – Sie werden mir eine Bestätigung darüber geben,
damit basta[2]! Es kann nicht die Pflicht einer Aktiengesellschaft sein, Ihnen
einen Schirm aus dem Café zu klauen – das besorgen Sie gefälligst selbst.«

Dies meine Erfahrungen mit der Olympia-AG[3].

* * *

Kurt Kusenberg

Die Belagerung

Da die Stadt Tottenburg sich weigerte, eine überaus hohe und ungerechte
Steuer zu bezahlen, sandte der Kaiser ein Heer aus, mit dem Befehl, die Un-
botmäßige[4] zu stürmen und zu brandschatzen[5]. Doch die Bürger hatten
rechtzeitig davon Nachricht erhalten, und als das Heer kam, fand es eine entschlossene Trutzburg[6] vor, die mit Vorräten reichlich versorgt war. Gede-
mütigt[7] kehrte der kaiserliche Unterhändler aus der Stadt zurück: man hatte
ihn nackt ausgezogen, mit Butter gesalbt und ihm eine dreifache Kette aus
Würsten umgehängt, zum Zeichen, daß es den Bürgern an nichts fehle.

»Das wird sich ändern!« meinte der Feldherr und ordnete eine gründliche
Belagerung an. Schon am nächsten Tag zog sich rings um Tottenburg ein Gür-
tel aus roten Zelten und ein zweiter, engerer Gürtel aus schwarzen Kanonen.
Es sah hübsch aus, wie Schmuck, wie Spiel, war aber bitterer Ernst.

Als ein Monat vergangen war und man annehmen konnte[8], die Hoch-
stimmung der Bürger sei abgeklungen[9], entschloß der Feldherr sich zum Angriff. Drei Tage lang spuckten die Kanonen dicke Eisenkugeln aus[10], und eine
davon riß dem Bäckermeister Apt, der am Osttor Wache stand, den Kopf ab.
Dies war der einzige Schaden, den die Stadt erlitt, und wer Apt gekannt
hatte, hielt den Schaden nicht für groß. Die Mauern bröckelten unter der leb-

---

[1] *ein Klavier bespannen* es mit neuen Saiten ausstatten – [2] *basta (ital.)* Schluß –
[3] *die AG* Aktiengesellschaft – [4] *unbotmäßig* ungehorsam – [5] *brandschatzen* in
alter Zeit forderten die Soldaten (nach eigener Schätzung) von einer eroberten Stadt
eine hohe Geldsumme, und wenn die Stadt das Geld nicht bezahlen konnte, wurde
sie in Brand gesteckt – [6] *die Trutzburg, -en* Burg, die dem Feind trotzen, d. h.
Widerstand leisten kann – [7] *demütigen* bescheiden machen, erniedrigen – [8] *an'nehmen* hier: vermuten – [9] *ab'klingen* (verklingen wie ein Ton) hier: vergehen, aufhören – [10] *aus'spucken* (metaph.) schießen, verschießen

haften Kanonade ein wenig ab[1], doch entstand nirgends eine Bresche[2]. Am vierten Tag gingen die Soldaten vor, legten ihre Sturmleitern[3] an und erstiegen sie. Doch die Tottenburger stießen die Leitern um, sie gossen kochendes Wasser und siedendes[4] Pech über die Angreifer. Zum Schluß warfen sie alle Kanonenkugeln, die in die Stadt geflogen waren, von den Mauern hinab, als wenn sie damit sagen wollten: Da habt ihr sie zurück – versucht's nochmal! Der Sturm war mißlungen. »Kommt Zeit, kommt Rat!«[5] meinte der Feldherr und entschloß sich, die Stadt auszuhungern. Damit begann für die Soldaten ein faules, eintöniges[6] Leben, denn sie durften das Lager nicht verlassen und starrten[7] den ganzen Tag auf die Mauern von Tottenburg, die ihnen allmählich zuwider wurden. Ihre Untätigkeit brachte sie auf absonderliche Einfälle. Viele nahmen die Gewohnheit an, von morgens bis abends zwischen den Zelten umher zu spazieren, wobei sie stets zwei Schritte vor und einen Schritt zurück machten; sie wurden argwöhnisch[8] beobachtet von denen, die verworrene[9] Linien in den Boden geritzt hatten und streng darauf achteten, daß niemand diese Linien betrete. Andere wetteiferten darin, wer am besten Tierstimmen nachahmen, rülpsen[10], niesen, lispeln, stottern, schielen, mit den Ohren wackeln oder wer am längsten auf einem Bein stehen, den Atem anhalten, die Muskete[11] auf der Nase balancieren könne.

Es gab Zelte, in denen man sich zum Spaß gegenseitig bestahl, um den Meisterdieb zu ermitteln; es gab Zelte, in denen man nur in Reimen redete oder die Wörter verkehrt herum aussprach; und es gab Zelte, in denen man allen Gegenständen menschliche Vornamen gab und sich laut mit ihnen unterhielt. Befehle, die der Feldherr erließ[12], drangen selten durch; entweder wurden sie absichtlich entstellt, wobei sie jeden Sinn verloren, oder sie wurden von Befehlen durchkreuzt, die der Feldherr nicht erlassen hatte. Der stärkste Mann des Lagers, ein Sergeant, spielte auf einem kleinen Jagdhorn tagaus, tagein[13] dasselbe Lied; er brachte alle, die in seiner Nähe hausten, fast um den Verstand[14]. Ein anderer hatte einen Igel gefangen und bemühte sich, ihm kleine Kunststücke beizubringen, die das stachelige Tier jedoch nicht begriff.

---

[1] ab'bröckeln, die Mauer bröckelt ab sie bricht in kleinen Stücken ab – [2] die Bresche, -n Loch in der Mauer, durch das die Feinde eindringen können – [3] die Sturmleiter, -n Leiter, mit der die Soldaten früher beim Angriff auf die feindlichen Mauern stiegen – [4] sieden kochen – [5] Kommt Zeit, kommt Rat (Sprichwort) mit der Zeit wird sich eine Lösung des Problems finden – [6] eintönig langweilig – [7] starren ohne Bewegung blicken – [8] argwöhnisch mißtrauisch – [9] verworren unklar – [10] rülpsen laut aufstoßen – [11] die Muskete, -n Gewehr – [12] einen Befehl erlassen einen Befehl geben – [13] tagaus, tagein jeden Tag – [14] einen Menschen um den Verstand bringen ihn verrückt machen

Dieser Mann lebte in großer Sorge, jemand könne ihm den Igel stehlen, ihn schlachten und aufessen.

Denn zugleich mit der Langeweile war der Mangel ins Lager eingezogen. Schon seit geraumer Zeit[1] gab es keinen Wein mehr zu trinken, das Essen wurde immer karger[2], immer schlechter, und selbst wenn der längst fällige Sold[3] ausbezahlt worden wäre, hätten die Marketender[4] den Soldaten nichts anbieten können; ihre Wagen, ihre Kästen, ihre Körbe waren leer. Und das kam daher, daß der Kaiser sein Heer nicht mehr versorgte. Die Belagerer, die Tottenburg aushungern wollten, litten nun selber Hunger.

»Ohne Geld kein Krieg!« meinte der Feldherr und entschloß sich, dem Kaiser zu schreiben. Doch der Bote kam mit dem Bescheid wieder, das Heer möge endlich die Stadt Tottenburg erstürmen und sich an ihr schadlos halten[5]; für Nichtstuer habe man kein Geld übrig. Dies zu hören, verdroß[6] den Feldherrn. Wie sollte er eine Stadt erobern, die sich einfach nicht erobern ließ, die besser versorgt war als seine Soldaten und es ihnen auch noch deutlich zeigte? In ihrem Übermut hatten die Bürger nämlich eine freche Sitte ausgeheckt[7]: sie tafelten weithin sichtbar auf der Stadtmauer und tranken den Soldaten höhnisch zu. Nicht genug damit, warfen sie jeden Abend einen Korb hinab, der mit köstlichen Speisen gefüllt war und die Aufschrift trug: »Dem siegreichen Feldherrn!« Es sei nicht verschwiegen, daß der Feldherr die Speisen nachts, wenn sein Schreiber zu Bett gegangen war, heimlich aufaß und daß sie ihm schmeckten. Aber eine Kränkung[8] war das geschenkte Essen trotzdem, und der Feldherr schwor sich, sie den Tottenburgern heimzuzahlen[9]; er wußte nur nicht, wie.

Eines Nachts biß der Feldherr, als er gerade eine tottenburgische Taubenpastete verzehrte, auf etwas Hartes – auf eine kleine Kapsel, in der ein Brief steckte. Der Brief kam vom Bürgermeister der Stadt, und dieser schlug dem Feldherrn eine Zusammenkunft vor, die beiden Partnern nützlich sein könne. Vom Kaiser arg enttäuscht, fand der Feldherr nichts dabei[10], einen Einblick in die Gedanken des Feindes zu tun, und ließ den Bürgermeister wissen, er nehme seinen Vorschlag an. Die Männer trafen sich, von den Soldaten unbe-

---

[1] *geraume Zeit* längere Zeit – [2] *karg* wenig und ärmlich – [3] *der Sold* Lohn der Soldaten; *Der Sold ist fällig* er muß jetzt gezahlt werden – [4] *der Marketender, -* Händler bei den Soldaten – [5] *sich schadlos halten an jm* (id.) einen Schaden, den man gehabt hat, auf Kosten eines anderen Menschen wieder gutmachen – [6] *es verdrießt mich* (verdroß, verdrossen) es ärgert mich – [7] *aus'hecken, ich hecke et. aus* ich denke mir etwas (oft etwas Boshaftes) aus – [8] *die Kränkung, -en* Beleidigung – [9] *heim'zahlen, ich zahle ihm et. heim* ich vergelte es ihm, räche mich für ein Unrecht – [10] *er findet nichts dabei* (id.) er sieht kein Unrecht darin

merkt, in der Nähe der Stadt und führten eine lange, vernünftige, ergiebige Unterredung. Es wurde beschlossen, daß die Belagerung in Zukunft nicht mehr so streng sein, sondern in ein nachbarliches Verhältnis übergehen solle. Als Gegenleistung verpflichtete sich die Stadt, den rückständigen wie den künftigen Sold der Truppe auszuzahlen, wobei sie freilich Steuern abziehen müsse. Auch müßten sich die Soldaten in Tottenburg durch allerlei Arbeiten, die man ihnen zuweisen werde, nützlich machen, denn es übersteige die Mittel der Stadt, ein stehendes Heer[1] zu unterhalten. Dagegen sei man bereit, die Soldaten neu einzukleiden, nicht gerade unentgeltlich, doch so billig, daß die Tuchmacher (der Bürgermeister war selbst Tuchmacher) ihre Ware halb herschenken würden. Der Vertrag war segensreich. Als bekannt wurde, daß das Lager wieder über Geld verfüge, kamen von weither Händler und Bauern herbei und versorgten die Marketender mit allen nötigen, sogar mit unnötigen Dingen. Die Soldaten drängten sich danach, in der Stadt zu arbeiten, um am Feierabend an den Vergnügungen der Stadt teilzuhaben, und es gab Bürger, die freiwillig im Lager Dienst taten, um nebenbei das Kriegshandwerk kennenzulernen. Es wird auch berichtet, daß einige Mädchen aus Tottenburg zu den Marketenderinnen in die Lehre gingen, doch mag dies mehr mit den zahlreichen Liebeleien zu tun haben, die sich zwischen den Soldaten und dem Weibervolk abspielten. So etwas war unvermeidlich und hatte natürlich mit der Zeit auch einen gewissen Einfluß auf die Zahl der Kinder, die in Tottenburg geboren wurden. Diese Zahl wäre kaum so groß geworden, wenn die Belagerer und die Belagerten nicht so viele Feste gefeiert hätten. Übrigens kamen, wenngleich in geringerer Zahl, auch Ehen zustande.

Die nächsten Monate brachten neue Erleichterungen, vor allem für die Stadt; aber auch das Heer hatte seinen Nutzen davon. Mußte ein Bürger in dringlicher Angelegenheit verreisen, so gab ihm der Feldherr einen Passierschein mit. Jedesmal, wenn eine Reisekutsche durchs Lager kam, wurde sie von Soldaten umringt, die dem Abfahrenden Briefe an ihre Familien mitgaben oder ihn baten, zu Haus Grüße auszurichten und ein bißchen nach dem Rechten zu schauen. Nicht immer kehrten die Reisenden mit guten Nachrichten zurück, denn manche Soldatenfrauen hatten sich, müde vom langen Warten, inzwischen mit anderen Männern zusammengetan – wohl auch mit den Reisenden selber. Übrigens sei zu deren Ehre bemerkt, daß sie alle früher oder später wieder zurückkamen, wenn auch vielleicht nur aus Sorge, ihre eigenen Frauen könnten es wie jene Ungetreuen machen.

Diese freundlichen, jedoch unmilitärischen Zustände konnten dem Kaiser auf die Dauer nicht verborgen bleiben. Allerdings währte es einige Jahre,

---

[1] *das stehende Heer* Armee, die nicht nur im Krieg, sondern auch im Frieden besteht

bis er dahinterkam[1], warum die Belagerung keine rechten Fortschritte mache und wer nun eigentlich sein Heer besolde. Der erste Beobachter nämlich, den er an den Kriegsschauplatz entsandte, ließ sich in Tottenburg nieder, heiratete ein hübsches Weib und eröffnete das Gasthaus »Zum kaiserlichen Boten«. Der zweite machte es dem ersten nach; er ehelichte die Witwe des Bäckermeisters Apt – des einzigen Opfers, welches die Belagerung bisher gefordert hatte. Erst der dritte Beobachter, ein grämlicher[2] Mensch, setzte den Kaiser ins Bild[3].

Der Kaiser besaß – wir haben es erfahren – viel Langmut[4], aber nun war sie zu Ende. Er ernannte einen neuen Feldherrn und schickte ihn zum Heer, damit er den pflichtvergessenen Befehlshaber ablöse. Dieser nahm seine Entlassung ruhig hin. Er begab sich in die Stadt und wurde dort acht Tage später zum Bürgermeister gewählt, weil er sehr beliebt und sein Vorgänger amtsmüde war. Der neue Feldherr zeigte sich ungemein tatkräftig. Er stellte die Disziplin wieder her; er schloß die Stadt wieder fest ein; er ließ sie täglich beschießen. Doch er wußte nicht, daß seine Kanoniere hohle Eisenkugeln abfeuerten, in denen Proviant und Briefe waren; er wußte auch nicht, daß unter einer Falltür[5] im Zelt des Profoß[6] ein sehr schmaler, unterirdischer Gang zur Stadt führte. Er wunderte sich nur, daß die Stadt so zäh standhielt. Die Soldaten hatten gegen den Wandel der Dinge zunächst nichts einzuwenden; er brachte ihnen Abwechslung und doppelten Sold, denn der Kaiser entlohnte seine Truppe wieder. Mit der Zeit aber gefiel ihnen der forsche[7] Ton nicht mehr; sie fanden, es sei vorher lustiger zugegangen.

Nach einem Vierteljahr hielt der neue Feldherr die Frucht für reif und machte sich daran[8], sie zu pflücken. Eine heftige Kanonade bereitete den Angriff vor. Dann rückten die Soldaten vor, in musterhafter Schlachtordnung, und legten – wie schon vor Jahren – ihre Sturmleitern an. Dem Feldherrn lachte das Herz, als er sie gleich Ameisenzügen emporklettern sah. Es fiel ihm wohl auf, daß die Bürger sich nicht verteidigten, doch dachte er, das käme vom Schrecken und ihrer Entkräftung. Erst als die Soldaten, oben angekommen, ihre Helme abrissen und den Belagerten um den Hals fielen, begriff er, wie gering die Feindschaft zwischen ihnen sei. Wie groß die Freundschaft war, schloß er aus dem Riesengelächter, das von den Mauern herabschallte und zweifellos ihm galt, denn er stand ganz allein vor der Stadt. So

---

[1] *dahinter'kommen, hinter eine Sache kommen* (id.) ihre wahre Beschaffenheit kennenlernen – [2] *grämlich* unfroh, sorgenvoll – [3] *jn ins Bild setzen* ihm die Wahrheit über et. sagen – [4] *die Langmut* Geduld – [5] *die Falltür, -en* Tür im Boden – [6] *der Profoß* in alter Zeit: der Polizist des Regimentes – [7] *forsch* streng – [8] *ich mache mich an eine Sache* (id.) ich beginne sie

ritt er noch am selben Tage ganz allein zu seinem Kaiser zurück. Die Soldaten aber wurden allesamt gute Tottenburger, und kein Heer hat seitdem gewagt, die Stadt anzugreifen – wegen ihrer starken, kriegserfahrenen Besatzung.

* * *

ÜBUNGEN

Die folgenden Übungen sollen das Verständnis der Texte sowie die mündliche und schriftliche Ausdrucksfähigkeit der Lernenden fördern. Sie gliedern sich in zwei Gruppen.

Die erste Gruppe von Übungen soll Möglichkeiten zeigen, wie man den ausländischen Lesern helfen kann, über das Verstehen, also das passive Aufnehmen der sprachlichen Formen hinaus das Gelesene auch in anderen Zusammenhängen beim Sprechen und Schreiben selbständig anzuwenden.

Die unter »II« stehenden Übungen sind als Hilfe zum Erfragen und Nacherzählen der Lesestoffe gedacht; sie sollen also in erster Linie zum Sprechen anregen. Deshalb sind die Fragen auch so gestellt, daß sie eine umfassende Antwort verlangen oder auch Ausgangspunkte für Diskussionen bilden können. Die beigegebenen Zusammenstellungen von Stichwörtern, die zum größten Teil den Lesetexten entnommen und gelegentlich durch Schlüsselwörter für Verständnis und Diskussion ergänzt sind, sollen als Gedächtnisstütze dienen, so daß die Schüler unabhängig vom originalen Text den Lesestoff frei formulieren oder ihre Meinung darüber äußern können, ohne lange nach Worten suchen zu müssen. Dabei wird jeder Lehrer selbst entscheiden, welche der Fragen mündlich oder schriftlich zu Hause beantwortet werden sollen und welche Fragen sich zur Besprechung im Unterricht eignen.

Es versteht sich, daß alle diese Übungen nur Anregungen sein können, die man nach Belieben ergänzen oder variieren mag, was übrigens auch für den Schüler eine sinnvolle Aufgabe sein kann.

WARTE NUR, BALDE (S. 7)

I. a) *früh – zu früh; spät – zu spät.*
Der Zug soll um 9 Uhr abfahren. Die alte Dame kommt um halb neun Uhr. Der Zug ist noch nicht da; sie kommt ... Ein alter Herr kommt um 8.45 Uhr. Er findet leicht einen guten Platz, denn er ist ... gekommen. Als der Zug abfährt, springt in letzter Minute ein junger Mann auf; er ist ..., aber gerade noch rechtzeitig gekommen. Zwei Minuten nach neun Uhr (der Zug ist schon abgefahren) kommt Familie Maier mit vielen Koffern; Familie Maier ist leider ... gekommen.

b) *Setzen Sie die richtigen Verben ein:* ›gehen‹, ›vergehen‹, ›verbringen‹, ›verschwinden‹
Der Reisende nimmt das Flugzeug, denn die Reise mit dem Zug ... ihm zu langsam. – Wir sahen, wie das Schiff in der Ferne ... – Wie haben Sie die Feiertage ...? – Nachdem er ein Haar in der Suppe gefunden hatte, war ihm der Appetit ... –.

c) ›nur‹, ›schon‹, ›erst‹, ›noch‹?
»Sind Sie ... lange hier?«
»Nein, ... drei Tage«.
»Wie lange können Sie ... bleiben?«
»Leider ... eine Woche«.

II. Fragen zum Text; *Verwenden Sie bei den Antworten auch die angegebenen Wörter und Ausdrücke!*
a) Was für ein Mensch war der junge Bauer?
b) Wie kam es, daß er die Wartezeit verkürzen konnte?
c) Wodurch hat der junge Bauer das Warten gelernt?

1. ungeduldig	9. zurückschrauben
2. hadern	10. vorbeispringen
3. Knopf	11. Sterbebett
4. Jacke	12. verrauschen
5. drehen	13. Erfüllung
6. hinwegspringen	14. würzen
7. Versuch	15. sich auf eine Sache verstehen
8. ersparen	16. ehe er sich's versah

WENN DIE HAIFISCHE MENSCHEN WÄREN (S. 8)

I. a) *Bilden Sie irreale Konditionalsätze, und beachten Sie die Zeitstufen!*
Beispiel: *Kein Lärm – gut arbeiten können.* Wenn kein Lärm wäre, könnte ich gut arbeiten.
Zu lange schlafen – das Flugzeug nicht erreichen. – Rechnung nicht bezahlen – elektrischer Strom gesperrt. – Laut Radio spielen – Telefon nicht hören. – Zu viel Alkohol trinken – Unfall verursachen. – Adresse wissen – Freund besuchen können.

b) *Was hätte der zerstreute Professor vor der Abreise tun müssen?*
Um 7 Uhr morgens reiste Professor X. mit dem Zug ab. Er hatte am Abend vorher noch lange gearbeitet und hatte am Morgen die Zeit verschlafen. So mußte er in großer Eile den Koffer packen und das Haus verlassen. Als er am Abend zurückkam und vor der Haustür stand, bemerkte er, daß unter der Tür Wasser herausfloß. Er wollte die Tür öffnen, doch da stellte er fest, daß er seine Hausschlüssel nicht mehr hatte. Ein Schlosser mußte die Tür aufbrechen. Im Haus stand das Wasser fußhoch und floß noch immer aus der Badewanne. Im Schlafzimmer brannte das Licht noch, und aus der Küche quoll dichter Rauch, denn der Topf mit dem Kaffeewasser war auf dem glühenden Herd stehengeblieben. In seiner Verzweiflung griff der Professor zum Telefon, um die Feuerwehr zu Hilfe zu rufen. Als aber das Telefon stumm blieb, erinnerte er sich, daß er vergessen hatte, die Telefonrechnung rechtzeitig zu bezahlen. Da beschloß er, gleich am nächsten Morgen eine Heiratsannonce in die Zeitung zu setzen.

II. F r a g e n   z u m   T e x t
a) Was für sanitäre Maßnahmen würden die Haifische treffen?
b) Was müßten die Fischlein in der Schule lernen?

c) Warum würden die Fische untereinander Kriege führen?
d) Wie würde das kulturelle Leben auf dem Meeresgrund aussehen?

1. Kasten	8. Gehorsam	15. Lustgarten
2. Flosse	9. Neigung	16. prächtig
3. Verband	10. erobern	17. Klang
4. wegsterben	11. riesig	18. Kapelle
5. Rachen	12. stumm	19. strömen
6. Ausbildung	13. schweigen	20. begeistern
7. sich aufopfern	14. trübsinnig	21. jm et. beibringen

DER GEHEILTE PATIENT (S. 10)

I. a) *Setzen Sie die richtigen Präpositionen ein!*
Der reiche Mann machte sich ... Fuß ... den Weg ... die Stadt des Arztes. ...
ersten Tag trat er ... jedes Würmlein ... dem Wege. Die Vögel ... den Bäumen hörte er nicht singen. Die Kornrosen ... den Feldern sah er nicht, und die
Menschen ... der Straße grüßte er nicht.

b) *Setzen Sie die richtigen Verben ein:* ›enden‹, ›beenden‹, ›verenden‹, ›aufhören‹,
›zu Ende sein‹, ›am Ende sein‹!
... mit dem dummen Gerede! – Ich bin mit meiner Weisheit ... - Das ange-
schossene Tier ... im Walde. – Er hat voriges Jahr seine Ausbildung ... -
Der Film ... mit dem Tod des Helden. – Bevor die Arie der Sängerin ...,
brach schon der Beifall los.

II. F r a g e n z u m T e x t
a) Woran litt der reiche Mann?
b) Warum konnten die Ärzte ihm nicht helfen?
c) Welche Ratschläge gab ihm der Arzt, dem er vertraute?
d) Wie wurde der reiche Mann gesund?

1. Appetit	9. schlimm	17. dahingehen
2. Langeweile	10. kurieren	18. Holz sägen
3. Leib	11. Mäßigkeit	19. wie ein Scheunendrescher essen
4. unbeholfen	12. Bewegung	20. es will ihm nicht mehr schmecken
5. Ohrenbrausen	13. Lindwurm	21. zu jm Vertrauen fassen
6. Magendrücken	14. Darm	22. sich auf den Weg machen
7. befolgen	15. Gemüse	23. mir fehlt etwas (nichts)
8. Zustand	16. munter	

DIE UNGEZÄHLTE GELIEBTE (S. 12)

I. a) *Verbinden Sie die Sätze durch die richtigen Doppelkonjunktionen:* ›je – desto
(umso)‹, ›nicht nur – sondern auch‹, ›sowohl – als auch‹, ›weder – noch‹!
Die Löhne steigen, die Preise steigen auch. – Er hat sein Vermögen verspielt,
und er hat seiner Firma Geld unterschlagen. – Er hat das Verkehrszeichen

nicht beachtet und ist dem Befehl des Polizisten nicht gefolgt. – Wenn du diese Stellung bekommen willst, mußt du dich schriftlich bewerben, und du mußt dich persönlich bei der Firma vorstellen.

b) *Setzen Sie die richtigen Verben ein: ›passieren‹, ›vorübergehen‹, ›sich ereignen‹, ›stattfinden‹, ›vergehen‹, ›geschehen‹!*
Was ist ...? – Wissen Sie, wann das Konzert ...? – Dreißig Pferdewagen ... täglich die neue Brücke. – Auf der Autobahn ... ein großes Unglück. – Er wartet darauf, daß ein Wunder ... – Sie ist an mir ..., ohne mich gesehen zu haben. – Nach dieser Injektion werden Ihre Schmerzen schnell ...

II. Fragen zum Text

a) Was für einen Posten hat man dem Erzähler gegeben?
b) Wozu dient die Statistik?
c) Warum stimmt die Statistik nie?

1. über die Brücke gehen	7. Ergebnis	13. sich verzählen
2. Ziffer	8. ausrechnen	14. unzuverlässig
3. Uhrwerk	9. Spezialität	15. et. mit Zahlen belegen
4. Schicht	10. aussetzen	16. et. stimmt nicht
5. Tüchtigkeit	11. vorübergehen	17. et. über den Haufen werfen
6. sinnlos	12. unterschlagen	18. es geht um die Existenz

Die drei dunklen Könige (S. 15)

I. *Setzen Sie das richtige Verb ein: ›erblicken‹, ›betrachten‹, ›ansehen‹, ›zusehen‹, ›nachsehen‹, ›übersehen‹, ›beobachten‹!*
Ich habe mir sein neues Haus ... – Er ... lange Zeit das Gemälde. – Die Studenten mußten dem Professor bei der Operation ... – Der Detektiv ... die Frau beim Stehlen. – Weit und breit war kein Mensch zu ... – Ich will mal ..., ob ich noch genug Geld bei mir habe.

II. Fragen zum Text

a) Warum heißt die Geschichte »Die drei dunklen Könige«?
b) In welcher Zeit und in welchen Verhältnissen lebte die Familie?
c) Was für Leute waren an der Tür?

1. Heiligenschein	6. Atem	11. zittern
2. Weihnachtsgeschichte	7. Nebel	12. schleichen
3. Vergleich	8. Stumpf	13. sich über etwas beugen
4. Nachkriegszeit	9. schnitzen	14. -r Heilige
5. Uniform	10. Pappkarton	15. sonderbar

Busses Welttheater (S. 17)

I. a) *Lösen Sie folgendes Satzgefüge in Hauptsätze auf!*
Früher hatten die Arbeiter einen eigenen Hebel zum Ausschalten, und obwohl das genauso gut funktionierte, weil sie zuerst den Abstellhebel betätigten und dann nach dem Maschinenmeister läuteten, wurde das doch abgeschafft.

b) *Lohn, Gehalt, Honorar, oder Belohnung? (Bilden Sie Sätze!)*
Rechtsanwalt – Beamter – Arzt – Arbeiter – Maler – Finder – Angestellter.

c) *vorläufig, endgültig, dauernd, lebenslänglich?*
Mein Nachbar stört mich ... – Er wurde zu ... Zuchthausstrafe verurteilt.
– Ich wohne ... im Hotel. Seine Entscheidung ist ...

II. Fragen zum Text

a) Was für eine Arbeit hatte Heinrich Winter?
b) Warum konnte er keine Lohnerhöhung bekommen?
c) Warum konnten die Leute im Betrieb ihn nicht leiden?
d) Wie verbrachte er seine Freizeit?
e) War der Eintritt in Busse's Welttheater ein Reinfall?

1. aufpassen	11. Abstellhebel	21. Aufnahmegebühr
2. versorgen mit	12. Betriebsführung	22. et. klappt (nicht)
3. funktionieren	13. sich beschweren	23. et. fällt ins Gewicht
4. Akkordarbeit	14. neidisch	24. jd ist für et. zu haben
5. verpacken	15. Störung	25. Beziehungen anknüpfen
6. ordnungsgemäß	16. vorschlagen	26. mir kommt die Sache
7. Schraube	17. vorläufig	nicht geheuer vor
8. locker	18. Talent	27. unter Umständen
9. klingeln	19. Verwendung	
10. Verzögerung	20. Doppelvorschlag	

UNVERHOFFTES WIEDERSEHEN (S. 22)

I. a) *heiraten, (sich) verheiraten, einheiraten, verheiratet sein?*
Peter hatte niemals ... wollen. Aber sein Vater dachte anders darüber; er
wollte, daß sein Sohn in ein gutes Geschäft ... So ... er ihn mit einer reichen
Kaufmannstochter. Jetzt ist Peter schon fünf Jahre glücklich ...

b) *Wandeln Sie die Nebensätze in Hauptsätze um!*
Als man den Toten aber zutage gebracht hatte, konnte sich niemand mehr an
den schlafenden Jüngling oder an sein Unglück erinnern, bis die ehemalige Verlobte des Bergmanns kam, der eines Tages auf die Schicht gegangen und nicht
mehr zurückgekehrt war.

II. Fragen zum Text
a) Unter welchen Umständen fanden die Bergleute den Toten?
b) Warum weinten die Umstehenden beim Wiedersehen?
c) Was bedeutet der Satz: »Was die Erde einmal wiedergegeben hat, wird sie
zum zweiten Mal auch nicht behalten«?

1. Schacht	6. durchdringen	11. Gemütsbewegung
2. graben	7. unverwest	12. trauern um
3. Schutt	8. zusammenschrumpfen	13. auferstehen
4. Vitriolwasser	9. Krücke	14. ewiges Leben
5. Leichnam	10. Entzücken	15. jn (et.) zutage bringen

DER AUGSBURGER KREIDEKREIS (S. 24)

I. a) *Bilden Sie aus den Partizipialgruppen Nebensätze!*

Aus dem Schrank herauskletternd, in dem Anna gestanden hatte, fand sie auch das Kind in der Diele unversehrt.

Den Bauern begrüßte der Häusler, schon am Teller sitzend, mit einem nachlässigen Kopfnicken, weder vortäuschend, er kenne ihn nicht, noch verratend, daß er ihn kannte.

Das Kind kroch in der Kammer herum, mit den Händen aufpatschend und kleine Schreie ausstoßend, wenn es auf das Gesicht niederfiel.

b) *Setzen Sie die indirekten Reden der Gerichtsverhandlung in direkte und die direkten Reden in indirekte!*

c) *Setzen Sie für die unterstrichenen Verben in den folgenden Sätzen Synonyme ein!*

Ich habe lange nachgedacht, wie ich ihr eine Freude machen könnte. – Wir nehmen an, daß er mit dem Nachtzug kommt. – Ich frage mich, ob es richtig war, was ich getan habe. – Er hat vor, sein Geschäft zu erweitern. – Er ist auf die Idee gekommen, uns noch einmal zu prüfen.

d) *Suchen Sie zu den Sätzen unter A die entsprechenden idiomatischen Ausdrücke unter B!*

A	B
1. Sie fühlt sich unbehaglich.	1. Wir sind außer uns.
2. Wir sind empört.	2. Sie ist ins Gerede gekommen.
3. Er überläßt den anderen alle Arbeit.	3. Ihr ist nicht wohl in ihrer Haut.
4. Man spricht schlecht über sie.	4. Er drückt sich, wo er kann.

II. Fragen zum Text

a) Wie kam es, daß Anna das Kind zu sich nahm?
b) Warum hat Anna den Häusler geheiratet?
c) Halten Sie das Urteil des Richters für gerecht?

1. Truppe	11. Haltung	21. im Stich lassen –
2. plündern	12. verheimlichen	22. jd ist außer sich –
3. Gerberei	13. Pflicht	23. von Panik ergriffen werden –
4. eindringen	14. Mutterliebe	24. Gefahr laufen –
5. Wiege	15. Anrecht	25. ihm ist nicht wohl in seiner
6. Protestant	16. sich kümmern um	Haut –
7. Katholik	17. pflegen	26. den Mund halten –
8. verleugnen	18. erziehen	27. ins Gerede kommen
9. Schwägerin	19. vernachlässigen	
10. großzügig	20. Egoismus	

DAS STADTWAPPEN (S. 38)

I. a) *Setzen Sie die passenden Adjektive ein:* ›*wesentlich*‹, ›*wichtig*‹, ›*bedeutend*‹, ›*eigentlich*‹, ›*bekannt*‹!
Der Politiker muß eine ... Entscheidung treffen. – Sein ... Beruf ist Buchhändler. – Hast du den ... Roman dieses jungen Dichters schon gelesen? – Er hatte gegen meinen Vorschlag nichts ... einzuwenden. – Er ist für seinen Humor ...

b) *Verändern Sie die folgenden Sätze und benutzen Sie dabei* ›*lassen*‹ *als Modalverb!*
Sie gibt ihre Schuhe zur Reparatur. – Diese Bedeutung kann man leicht erklären. – Ein anderer hat für ihn die Arbeit gemacht. – Dieses Problem könnte man einfacher lösen.

c) *Setzen Sie die folgenden Sätze ins Passiv!*
In der Zwischenzeit verschönerte man die Stadt. – Man mußte für die Arbeiter eine Stadt bauen. – Was man jetzt in einem Jahr baut, könnte die nächste Generation schon in einem halben Jahr fertigbringen.

II. F r a g e n   z u m   T e x t
a) Warum schien es den Leuten nicht so wichtig, den Turm bald fertig zu bauen?
b) Warum hat die Stadt eine Faust im Wappen?

1. das Wesentliche	5. Generation	9. Kampfsucht
2. Fortschritt	6. niederreißen	10. Kunstfertigkeit
3. Baukunst	7. lähmen	11. prophezeien
4. haltbar	8. Sinnlosigkeit	12. zerschmettern

DAS ENDE DES ODYSSEUS (S. 39)

I. a) *Setzen Sie in den folgenden Sätzen die richtigen Verben ein:* ›*et. treiben*‹, ›*et. tun*‹, ›*sich herumtreiben*‹, ›*sich die Zeit vertreiben*‹!
Penelope fragte Odysseus, was er in den sieben Jahren bei Kalypso ... habe. – Die Eltern wußten nicht, wo sich ihr Sohn ... – Sie haben sich mit Kartenspielen ...

b) *Ersetzen Sie die Nebensätze durch präpositionale Ausdrücke!*
Als er tot war, setzte ihm Odysseus ein Grabmal. – Bevor er am Abend schlafen ging, legte er die kleine Muschel neben sein Bett. – Nachdem er heimgekehrt war, begann sein Heimweh nach der Ferne.

II. F r a g e n   z u m   T e x t
a) Was veränderte sich nach Odysseus Rückkehr in seinem Hause?
b) Warum sehnte sich Odysseus nach den Jahren seiner Irrfahrt zurück?

1. Freier	8. verstummen	15. sich aussprechen über
2. schaffen	9. Gelage	16. Mißtrauen
3. tilgen	10. Enttäuschung	17. veröden
4. wiederherstellen	11. Unverständnis	18. Heimweh
5. Kohlpflanzung	12. reizen	19. was hast Du getrieben?
6. Bewässerungskanäle	13. Eifersucht	20. hat viel durchgemacht
7. Vase	14. zuhören	

WIE IN SCHLECHTEN ROMANEN (S. 44)

I. a) *Setzen Sie die richtigen Präpositionen ein!*

Es handelt sich ... Ausschachtungsarbeiten. – Es geht ... DM 20 000. – Dieses Auto eignet sich nicht ... Bergfahrten. – Haben Sie Interesse ... diesem Bauprojekt? – Er hat kein Talent ... Geschäftsmann. – Er ist sehr ungeschickt ... Umgang mit Menschen. – Er zeigt wenig Neigung ... schwerer Arbeit.

b) *Setzen Sie die passenden Verben ein: ›lehren‹, ›beibringen‹, ›lernen‹, ›unterrichten‹, erziehen‹!*

Diese Lehrerin ... in einer Privatschule. – Berta wurde von den Nonnen ... – Er hat uns in Mathematik ... Wer hat dir das Kochen ...? – Das habe ich allein ... Dieser Professor ... an der Universität Tübingen.

II. Fragen zum Text

a) Warum wurden Zumpens von dem jungen Ehepaar eingeladen?

b) Vergleichen Sie die Charaktere von Berta und ihrem Mann!

c) Warum war der junge Mann mit seinem geschäftlichen Erfolg nicht zufrieden?

1. Auftrag	8. Siedlung	15. Geschäftsmoral
2. Ausschreibung	9. Zuschlag erteilen	16. Gewissen
3. vergeben	10. Nonne	17. Bestechung
4. sich beteiligen	11. ehrlich	18. Kostenanschlag
5. Termin	12. erröten	19. das Gespräch auf et. bringen
6. Kommission	13. geschäftstüchtig	20. über et. hinwegkommen
7. Chef	14. Konzessionen machen	21. ihm unterläuft ein Fehler

DER KAPITÄN (S. 52)

I. a) *Bilden Sie aus den unterstrichenen präpositionalen Ausdrücken Nebensätze!*

Er verwendete seine Ersparnisse zum Ankauf eines antiquarischen Autos. – Der Kapitän hatte wieder ein Schiff unter seinem Kommando. – Über seine Vergangenheit sprach er mit niemand, aus Sorge, man könnte etwas Respektloses sagen. – Man hielt ihn wegen seiner schweigsamen Art für einen Narren.

b) *Setzen Sie die passenden Adjektive ein: ›respektvoll‹, ›höflich‹, ›frech‹, ›freundlich‹, ›nett‹!*

Der Junge gab seinem Lehrer eine ... Antwort. Viele alte Leute klagen, daß die heutige Jugend nicht mehr ..., sondern ... sei. Sie behaupten, zu ihrer Zeit habe es nur ... und ... junge Leute gegeben. Wir meinen aber, daß die Jugend auch heute noch ... ist, wenn man ihr ... begegnet.

II. Fragen zum Text

a) Warum kaufte sich der Kapitän den ausrangierten Schwimmkasten?

b) Was veranlaßte ihn, endgültig Landratte zu werden?

1. Handelsmarine	6. respektvoll	11. flitzen
2. Internierungslager	7. Überfahrt	12. ausprobieren
3. kommandieren	8. Sturmwetter	13. Saison
4. Dampfer	9. unendlich	14. verpachten
5. Phantasie	10. Motorboot	15. einen Plan fallen lassen

Die Fabrik (S. 55)

I. a) *Setzen Sie die passenden Verben ein: ›verdienen‹, ›gewinnen‹, ›bekommen‹, ›nehmen‹, ›finden‹!*

Der Architekt hat im Wettbewerb den ersten Preis ... – Er hat das Geld ..., ohne sich zu bedanken. – Er hat seine Stellung aufgegeben, weil er bei dieser Firma nicht genug ..., aber bis jetzt hat er keine bessere Stellung ... – Die Angestellten ... zu Weihnachten ein dreizehntes Monatsgehalt.

b) *›stimmen‹ oder ›passen‹?*

Was er sagt, kann doch unmöglich ... – Es ... mir nicht, daß ich immer so lange auf dich warten muß. Dem Kind ... die Schuhe nicht mehr. – Wenn die Kasse nicht ..., muß man alles noch einmal nachrechnen.

II. F r a g e n   z u m   T e x t

a) Warum war Anna's Heirat für die Leute so überraschend?
b) Wie dachte der junge Maier über die Erzeugnisse seiner Fabrik?
c) Warum verließ Anna ihren Mann?
d) Halten Sie Anna's Entscheidung für richtig?

1. Vermögen	6. Nippesfiguren	11. Vergiftung
2. Idealist	7. Kitsch	12. Betriebssicherheit
3. Teleskop	8. Geschmack	13. um die Hand anhalten
4. Gelehrter	9. Bleikammer	14. etwas schwer nehmen
5. Industrieller	10. Lebensgefahr	

Die Versicherung (S. 59)

I. a) *Suchen Sie zu den Sätzen unter A die entsprechenden idiomatischen Ausdrücke unter B!*

A	B
1. Wie hat sich das ereignet?	1. Sie fällt ihm zur Last.
2. Er muß sie erhalten.	2. Er gibt klein bei.
3. Er muß Konzessionen machen.	3. Wie hat sich das abgespielt?

b) *gering, wenig, viel, sehr, oft?*

Seine Fachkenntnisse sind ... – Sie hat in ihrem Leben ... Glück gehabt. – Ich habe ihn ... gefragt, aber nie eine Antwort bekommen. – Sein Professor hat ihn ... gelobt.

II. F r a g e n   z u m   T e x t

Wie sieht der Versicherungsfall in den Augen des Direktors aus?

1. Gassenhauer	4. Schadenersatz	7. klauen
2. Gewitter	5. den Blitz anlocken	8. in natura
3. verdächtigen	6. Sensationslust	9. jm zur Last fallen

Die Belagerung (S. 62)

I. a) *Suchen Sie für die kursiv gesetzten Verben Synonyme!*

Die Stadt *belieferte* das Heer mit Lebensmitteln. – Der Kaiser *sorgte* nicht *für* die Besoldung des Heeres. – Ich muß neue Reifen für mein Auto *anschaffen.* –

b) *Bilden Sie aus den folgenden Verben Nomen: ›beauftragen‹, ›befehlen‹, ›anordnen‹, ›erlassen‹, ›bitten‹!*

c) *Machen Sie aus den drei Hauptsätzen ein Satzgefüge mit Nebensätzen!*
Er stellte die Disziplin wieder her. Er schloß die Stadt ein. Er ließ die Stadt beschießen.

II. **Fragen zum Text**

a) Warum schickte der Kaiser ein Heer gegen die Stadt?
b) Warum konnte der Feldherr die Stadt nicht erobern?

1. Steuer	8. versorgen	15. einen Befehl erlassen
2. stürmen	9. heimzahlen	16. sich an jm schadlos halten
3. brandschatzen	10. Sold	17. er findet nichts dabei
4. angreifen	11. Vertrag	18. hinter eine Sache kommen
5. aushungern	12. unterirdischer Gang	19. sich an eine Sache machen
6. Vorrat	13. Stimmung	
7. Mangel	14. Besatzung	

* * *

BIOGRAPHISCHE NOTIZEN

Victor Auburtin (1870–1928) war gebürtiger Berliner. Nach Beendigung seines Literaturstudiums unternahm er als Journalist viele Reisen in die verschiedensten Länder Europas, die in Form von Essays und humoristischen Erzählungen ihren literarischen Niederschlag fanden.

Heinrich Böll ist 1917 in Köln geboren und gehört zu der Generation, die durch das Kriegserlebnis geprägt wurde. Er hat ursprünglich den Buchhandel erlernt, studierte nach seiner Rückkehr aus dem Kriege einige Semester Germanistik und lebt heute als freier Schriftsteller in seiner Heimatstadt. Ähnlich wie bei Borchert, wenn auch in weniger leidenschaftlich anklagender Form, sind seine ersten Erzählungen Ausdruck des Elends und der Sinnlosigkeit des Krieges. Seine beiden bekanntesten Romane (»Und sagte kein einziges Wort«, »Haus ohne Hüter«,) sprechen von der Zerstörung der menschlichen Bindungen durch den Krieg. Im wirtschaftlich aufgeblühten Nachkriegsdeutschland wird er aber immer stärker zum unbequemen Mahner, der in Form von Satiren das satte Bürgertum kritisiert, die Unaufrichtigkeit in allen persönlichen und beruflichen Bindungen, die Schwächen und Gefahren unseres heutigen Wirtschafts- und Kulturbetriebs anprangert.

Wolfgang Borchert, 1921 in Hamburg geboren, war von Beruf Buchhändler. Den Krieg erlebte er als Soldat an der Front und als politischer Häftling in Gefängnissen des NS-Regimes. Er kehrte 1945 todkrank zurück und begann zu schreiben. Aus dem unmittelbaren Erleben und Erleiden des Terrors und der Zerstörung wurde sein Werk zur Anklage gegen Krieg und Unmenschlichkeit, wurde Borchert zum berufenen Sprecher seiner betrogenen Generation. Das Heimkehrer-Drama »Draußen vor der Tür« und die meisten seiner Erzählungen entstanden in den zwei ersten Nachkriegsjahren. 1947 starb Borchert in der Schweiz an den Folgen seiner Kriegsverletzung.

Bertolt Brecht wurde 1898 in Augsburg geboren. Er studierte zunächst Naturwissenschaften und Medizin, machte sich dann aber in München und Berlin mit der Praxis des Theaters vertraut und schrieb schon in frühen Jahren aufsehenerregende Bühnenstücke sowie bedeutende Lyrik und Prosa. Auf die Periode der anarchischen und parodistischen Geniewerke der zwanziger Jahre folgte eine Reihe trockener Lehrstücke für das sozialistische Theater. 1933 mußte Brecht aus Deutschland fliehen. Österreich, die Schweiz, Dänemark, Schweden, Finnland und schließlich die Vereinigten Staaten waren die Stationen seiner Emigration. Erst mit den späteren dramatischen Versuchen wie »Mutter Courage und ihre Kinder«, »Der gute Mensch von Sezuan«, »Der kaukasische Kreidekreis« und »Das Leben des Galilei«, die alle nach 1938 entstanden, wurde Brecht zum führenden deutschen Dramatiker der Gegenwart. Für ihn war das Theater nicht nur ästhetische Kunstform, sondern immer zugleich das Mittel, die Menschen zum Nachdenken über die sozialen Verhältnisse zu zwingen. Seit 1948 leitete er das Ostberliner Theater am Schiffbauerdamm und hatte dort Gelegenheit, seine Theorie des »epischen« Theaters zu erproben. Unter seiner Regie erlebte man eine Reihe hervorragender und epochemachender Aufführungen seiner eigenen Werke und Bearbeitungen anderer Autoren. Unsere Geschichte, »Der Augsburger Kreidekreis«, die im Jahre 1940 entstand, steht inhaltlich in engstem Zusammenhang mit dem 1944/45 geschriebenen Bühnenstück »Der kaukasische Kreidekreis«. Bertolt Brecht starb im Jahre 1956 in Berlin.

Paul Ernst (1866–1933) war Sohn eines Bergmanns und stammt aus dem kleinen Städtchen Elbingerode im Harzgebirge. Während seiner Studienzeit in Berlin beschäftigte er sich unter dem Eindruck des Großstadtelends mit russischer sozialrevolutionärer Literatur und der marxistischen Lehre und schloß sich der Arbeiterbewegung an. Aber bald kam er zu der Erkenntnis, daß die Rettung gegen den allgemeinen Verfall nicht im politischen Handeln liege, sondern darin, die sittlichen Kräfte im Einzelnen zu erwecken, wie schon Schiller proklamiert hatte. Dieser Aufgabe sollte seine Dichtung dienen. In seinen Dramen, Novellen und kleinen Romanen, die auch formal an klassischen Vorbildern geschult sind, stellt er den Menschen im Konflikt mit dem Sittengesetz dar. Seiner Weltanschauung entsprechend zog er sich aus dem Großstadtleben zurück und lebte als Bauer in verschiedenen Gegenden Deutschlands, zuletzt in der Steiermark in Österreich.

Johann Peter Hebel, (geb. 1761, gest. 1826) gehört zu den weniger bekannten, aber sicher zu den liebenswürdigsten Talenten der deutschen Klassik. Seinen poetischen Beruf begann er mit Gedichten in seiner heimatlichen alemannischen Mundart, Gedichten, die bei seinen Zeitgenossen, besonders auch bei Goethe, freundlichen Beifall fanden und die überhaupt zum ersten Mal den süddeutschen Dialekt literaturfähig machten. Da Hebel im Hauptberuf Theologe und Pädagoge war – er wurde Direktor des Gymnasiums in Karlsruhe und Mitglied der obersten Kirchenbehörde seines Landes –, blieb ihm zur Dichtung nicht viel Zeit. Seine feine Erzählkunst trat eigentlich mehr ungewollt zutage: Hebel sah sich nämlich genötigt, einen Kalender herauszugeben, und da seine Mitarbeiter ihn im Stich ließen, mußte er fast täglich selbst eine kurze Geschichte schreiben. Diese Kalendergeschichten, zu denen auch unsere beiden Erzählungen gehören, sammelte er später in dem »Schatzkästlein des Rheinländischen Hausfreundes«. Sie zählen heute noch zu den besten anekdotischen Erzählungen der deutschen Literatur und sind zum Teil so allgemein bekannt wie alte Volkslieder.

Franz Kafka (1883–1924) gehört zu den bedeutendsten Dichtern unseres Jahrhunderts. Sein Name wurde aber erst lange nach seinem Tode innerhalb und außerhalb Deutschlands bekannt. Seit der posthumen Herausgabe seines Werkes, die gegen seinen Willen geschah, ist eine Fülle von Interpretationen nicht nur literarischer, sondern auch psychologischer, philosophischer und theologischer Wissenschaftler erschienen. Der Grund für das große Interesse an Kafkas Werk ist nicht zuletzt die ihm ganz eigene Form der Darstellung. Er veranschaulicht nämlich die Lebenssituationen seiner Figuren in surrealen Bildern, die Wirklichkeitscharakter angenommen haben. Wir begegnen darin dem Menschen, der machtlos einer Umwelt ausgeliefert ist, weil er ihr ordnendes Prinzip nicht kennt. Diese Unkenntnis des »Gesetzes« läßt ihn schuldig werden und er geht als Verurteilter zugrunde. Unter dem Lebensgefühl der Fremdheit in der Welt, der nicht erklärbaren Schuld, der Angst zu versagen, unter der vergeblichen Suche nach einem Absoluten hat Kafka zeitlebens gelitten. Dabei schätzten ihn seine Freunde als weltklugen, humorvollen und hilfsbereiten Menschen. Er wuchs als Sohn eines jüdischen Kaufmanns in Prag auf. Obwohl es ihn schon bald zum Schreiben drängte, wählte er absichtlich einen Brotberuf, der mit seiner dichterischen Neigung nichts zu tun haben sollte. Nach seinem Jurastudium arbeitete er von 1908–1917 in einer Prager Versicherungsgesellschaft; seine Krankheit, die Tuberkulose, zwang ihn jedoch, seinen Beruf aufzugeben und die letzten Lebensjahre in Kurorten zu verbringen. Er starb in einem Sanatorium bei Wien. Neben seinen drei großen Romanen »Der Prozeß«, »Das Schloß« und »Amerika« schrieb er eine Fülle von Erzählungen. Nicht minder lesenswert sind seine Tagebücher und Briefe.

Kurt Kusenberg ist von Haus aus Kunsthistoriker. Neben fachwissenschaftlichen und kunstkritischen Arbeiten ist das Erfinden und Erzählen skurriler Geschichten zu seinem eigentlichen Metier geworden. Mit einem sechsten Sinn für das Paradoxe, Phantastische und Absonderliche gibt Kusenberg der Wirklichkeit seiner Erzählwelt oft groteske Züge. Hinter dem scheinbaren, manchmal bis an die Grenze des Möglichen getriebenen Unsinn findet sich dennoch meist Sinn und Anlaß wieder. Kusenberg, der 1904 in Göteborg (Schweden) geboren wurde, lebt heute als freier Schriftsteller und Verlagslektor in Hamburg.

Alfred Polgar (1873–1955) war Sohn eines Musikers und stammte aus Wien. Lange Jahre war er in seiner Vaterstadt und später in Berlin tätig. Er schrieb geistvolle Theater- und Musikkritiken und wurde selbst 1932 mit dem Stück »Die Defraudanten« erfolgreicher Bühnenautor. Aus dem nationalsozialistischen Deutschland floh Polgar 1933 nach Österreich, später nach Frankreich und von dort nach Amerika. Seit 1925 erschienen von ihm neben der journalistischen Tagesarbeit kleine Dichtungen, Skizzen, Glossen, Kurzgeschichten, in denen sich wie in einem Kaleidoskop der Geist der Zeit spiegelt.

Roda Roda ist das Schriftstellerpseudonym für Sandor Friedrich Rosenfeld, der 1872 in einem kleinen slawonischen Dorf des alten Österreich geboren wurde. Er wurde zunächst Berufsoffizier, quittierte aber nach 11 Jahren den Militärdienst und lebte von da an als freier Schriftsteller. In München war er lange Jahre Mitarbeiter der seinerzeit bekanntesten satirischen Zeitschrift in Deutschland, des »Simplizissimus«. Als er 1938 aus politischen Gründen Deutschland verlassen mußte, emigrierte er nach New York, wo er im Jahre 1945 starb. Er gilt als einer der bekanntesten Humoristen und Satiriker der »alten Donaumonarchie«, deren Bild er lange über ihr Bestehen hinaus in seinen zahlreichen Anekdoten und Geschichten, Romanen und Komödien wachhielt, die auch heute noch mit Vergnügen gelesen werden.

Heinrich Spoerl (1887–1955) war von Beruf Rechtsanwalt und übte seine Praxis lange Jahre in seiner Heimatstadt Düsseldorf, später in Berlin und schließlich in Südbayern aus. Er ist der Verfasser populärer Unterhaltungsromane, von denen auch einige verfilmt wurden. Sein versöhnlicher Humor, mit dem er die Schwächen und Sünden braver Kleinstadtbürger karikiert, und die rheinische Atmosphäre heiterer Sorglosigkeit, von der seine Geschichten getragen sind, haben ihm wohl zu seinem Erfolg verholfen.

Walter Toman, 1920 in Wien geboren, studierte in seiner Heimatstadt Psychologie und schlug die Universitätslaufbahn ein. Im Jahre 1951 ging er an die Harvard University in Boston/USA, wo er sechs Jahre später zum Professor ernannt wurde. Er gehört zu den Verfassern des Psychologischen Lexikons. Neben seinen fachwissenschaftlichen Arbeiten schrieb er eine Reihe kleiner Erzählungen, daneben auch Lyrik. Dem Menschen in seinem Verhalten zu den Gegebenheiten unserer modernen Welt gilt das Interesse des Autors. Toman betrachtet seine Figuren aus der Distanz des Forschers; dabei bedient er sich der Einkleidung in eine surreale Bildwelt, die wohl durch die Lektüre Kafkas beeinflußt worden ist.

ABKÜRZUNGEN

id.	idiomatisch
fam.	familiär
lit.	literarisch
metaph.	metaphorisch
Ugs.	Umgangssprache
A	Akkusativ
D	Dativ
G	Genitiv
südd.	Süddeutsch
et.	etwas
jd (jn, jm, js)	jemand (A, D, G)
z. B.	zum Beispiel

QUELLENNACHWEIS

Auburtin, Victor: Das Ende des Odysseus – (In: »Von der Seite gesehen«. Rowohlt Tb. Hamburg)

Böll, Heinrich: Die ungezählte Geliebte – (In: »Wanderer, kommst du nach Spa...«. List. München 1956)
Wie in schlechten Romanen – (ebenda)

Borchert, Wolfgang: Die drei dunklen Könige – (In: »Das Gesamtwerk«. Rowohlt. Hamburg 1959)

Brecht, Bertolt: Der Augsburger Kreidekreis – (In: »Geschichten«. Bibliothek Suhrkamp. Frankfurt 1962)
Wenn die Haifische Menschen wären – (ebenda)

Ernst, Paul: Die Fabrik – (In: »Gesammelte Werke«. Langen-Müller. München 1928–31)

Hebel, Johann Peter: Der geheilte Patient – (In: »Das Schatzkästlein des Rheinländischen Hausfreundes«. Pantheon-Ausgabe. Berlin 1940)
Unverhofftes Wiedersehen – (ebenda)

Kafka, Franz: Das Stadtwappen – (In: »Gesammelte Werke«. New York 1946; S. Fischer Liz.-Ausg.)

Kusenberg, Kurt: Die Belagerung – (In: »Nicht zu glauben«. Rowohlt Tb. Hamburg)

Polgar, Alfred: Der Kapitän – (In: »Im Lauf der Zeit«. Rowohlt Tb. Hamburg)

Roda Roda: Die Versicherung – (In: »Roda Roda's Geschichten«. Rowohlt Tb. Hamburg)

Spoerl, Heinrich: Warte nur, balde – (In: »Man kann ruhig darüber sprechen«. Piper. München)

Toman, Walter: Busse's Welttheater – (In: »Busse's Welttheater«. Biederstein. München 1952)